1000
DIFFICULTÉS
COURANTES
DU FRANÇAIS PARLÉ

DANS LA MÊME COLLECTION:

J. CELLARD, *Le subjonctif: comment l'écrire, quand l'employer?*

J.-P. COLIGNON et P.-V. BERTHIER, *La pratique du style. Simplicité - précision - harmonie.*

J.-P. COLIGNON et P.-V. BERTHIER, *Pièges du langage. Barbarismes - Solécismes - Contresens - Pléonasmes.*

A. DOPPAGNE, *La bonne ponctuation: clarté, précision, efficacité de vos phrases.*

A. DOPPAGNE, *Les régionalismes du français.*

R. GODIVEAU, *1.000 difficultés courantes du français parlé.*

M. GREVISSE, *Savoir accorder le participe passé.*

M. GREVISSE, *Quelle préposition?*

Roland GODIVEAU
Secrétariat permanent du langage de l'audiovisuel

1000 DIFFICULTÉS COURANTES DU FRANÇAIS PARLÉ

En syntaxe, vocabulaire et prononciation

Préface de Maurice RHEIMS
de l'Académie française

DUCULOT

(*Imprimé en Belgique sur les presses Duculot.*)

D. 1978, 0035.28

ISBN 2-8011-0191-5

PRÉFACE

> « *Toute entorse aux normes du lexique, toute démarche en vue de tourner l'interdit qui pèse sur la néologie sont à prendre au sérieux.* »
>
> R. L. WAGNER.

Depuis qu'existe la langue française, de nombreux censeurs se sont plu à souligner périodiquement son état de dégradation et quelques prophètes de malheur à prédire sa fin prochaine. Les uns prétendent qu'au contact de l'étranger, elle tend à s'abâtardir, les autres la trouvent trop peu dynamique et incapable de s'adapter à l'évolution de nos mœurs. S'il faut convenir que notre langue, parfois, s'est pervertie au cours des siècles, nous devons aussi constater qu'elle s'est transformée en luttant toujours pour garder son originalité profonde.

Que de joies, que d'émotions éprouve le philologue ou l'amateur éclairé à découvrir comment les mots, se déplaçant peu à peu de nos provinces à la capitale, se hissent jusqu'aux tréteaux parisiens et parviennent parfois à tenir leur rang dans la littérature! Polis par le temps, forts du droit de cité, ils ont conquis de haute lutte leur place dans les Lettres. À ces mots du terroir viennent s'ajouter les nouveaux-nés apportés par les voyageurs, les soldats, les snobs, et ceux créés à la suite de bouleversements sociaux ou économiques.

Le langage classique, lui, n'a guère changé depuis Madame de La Fayette et pratiquement plus depuis Diderot et Stendhal, mais le langage usuel s'adapte vaille que vaille aux nécessités de l'heure, sans pour autant rompre avec ce qu'on pourrait appeler « le beau parler ». Aux oreilles de nos puristes, fabriquer des néologismes résonne toujours comme une preuve de « mauvais esprit » et les prononcer comme un aveu de manque d'éducation. Si un lecteur attentif relève dans notre littérature (de Diderot à Aragon, de Céline à Boris Vian), des mots forgés, il s'aperçoit que, souvent, ces néologismes n'ont servi qu'à leur auteur et puis se sont éteints comme ces fleurs de serre qui, transplantées, sont condamnées par avance.

Quant au langage dit « usuel », il a parfois adopté des mots créés pour « épater le bourgeois » (qui ne s'épate plus si facilement) ou encore par nécessité mercantile (désigner un produit, définir son usage). Les différentes éditions des dictionnaires des cinquante dernières années nous démontrent la fugacité de ces expressions nées des circonstances.

De tous les vocabulaires dont nous disposons, il faut bien convenir que celui de l'argot reste le plus vivace. Loin de le mépriser, les romanciers en usent pour cerner la silhouette d'un personnage ou préciser le climat social dans lequel il évolue: jargon employé par les clercs de notaire ou les artistes dans Balzac, par le petit peuple dans Victor Hugo, par les truands dans Eugène Sue, et — pourquoi pas — par Zazie dans Queneau.

De tout cela, Roland Godiveau a recueilli l'essentiel dans son amusant et précieux Dictionnaire du français de l'audiovisuel: environ 1.000 mots ou locutions tirés du ruisseau ou descendus du haut du pavé, tous nés des besoins de notre société et issus de l'évolution de la pensée, de celle des techniques, des exigences des appareils de profit. Au cours de cette seconde moitié du XXe siècle, il apparaît que les hommes d'affaires ont compris combien les moyens audiovisuels, et jusqu'à la bande dessinée, pouvaient servir à aspirer l'argent d'une société taraudée par le besoin de consommer; il suffisait, pour en tirer profit, de l'assommer de bruit et de niaiserie dans un monde voué à adorer la déesse Blabla, divinité dévorante qui exige (dit-elle), pour être comprise par tous, des expressions concises et percutantes. L'économie n'est sans doute pas étrangère à ces choix de la brièveté: la minute radiophonique ou télévisée coûte cher ainsi que la ligne d'annonce dans les journaux et magazines. Pour identifier des produits nouveaux ou les faire paraître tels, pour désigner des techniques de pointe ou supposées telles, font irruption des mots-valises et des télescopages de suffixes capables à la fois de suggérer, de séduire, d'entraîner.

En feuilletant ce lexique, l'amateur de sonorités verbales aura les oreilles écorchées par : dangerosité, expomarché, faisabilité, sectoriel, mots qu'il faut espérer voir mourir avant peu, victimes de leur pesanteur et de leur laideur, entraînant avec eux dans l'oubli l'affreuse expression : « ça me fait problème ».

Heureusement surgit pour nous consoler un « dénébuler » (chasser artificiellement les brouillards sur les aérodromes) ; « dénébuler » eût enchanté Huysmans et les symbolistes.

À la qualité du travail de Roland Godiveau s'ajoute la diversité de ses recherches et de ses trouvailles. Nous disposons là d'un dictionnaire des synonymes, du bon usage, de l'argot, qui répertorie également les expressions glanées dans la rue, dans les bureaux d'affaires, entendues sous les préaux d'écoles, dans les flonflons des bals populaires ou prononcées dans les salles de cinéma, et celles qui se disent à propos de l'argent, de la politique, de l'art, de la médecine, de la philosophie, de la sociologie.

L'auteur dénonce certaines verrues langagières, nées de prononciations défectueuses, tel l'emploi de « aréodrome » pour « aérodrome » du mois « d'a-oute » pour « août », de « fluxe » pour « flux » ou de ces « Saoudiens » des animateurs de radio, ou de certains journalistes, et qui sont pourtant bien des Séoudiens (habitants de l'Arabie Séoudite). Il nous met en garde contre l'emploi d'un mot pour un autre : biture, devenu pour nos contemporains synonyme de « saoûlerie » est, en fait, une appropriation récente et fautive de « bitture » qui, en langage maritime, signifie : prendre une longueur de chaîne suffisamment importante. « Exergue » est souvent mis pour « épigraphe » ; « habitat », réservé en principe au milieu géographique qui englobe tout ce qui réunit les conditions nécessaires à la vie animale ou humaine, est improprement employé aujourd'hui pour désigner des logements ; « tout à coup », fait pour traduire l'apparition d'un phénomène subit, se dit trop souvent au lieu de « tout d'un coup » (événement qui s'est déroulé en une seule fois). Dans la presse écrite ou parlée, il arrive qu'on « dépose plainte » au lieu de « déposer *une* plainte » ou de « porter plainte ». Roland Godiveau relève également un certain nombre de pièges grammaticaux: « de toute façon » doit toujours être employé au singulier, et « autoroute » au féminin.

Une partie — à mon avis tout à fait passionnante — de ce dictionnaire du français de l'audiovisuel recense les anglicismes. « Best seller » prend une signification plus appuyée que « grand tirage » ou « succès de librairie »; « bazar » ne donnerait qu'une idée notoirement insuffisante du contenu d'un « drugstore »; « jet » est plus facile et plus rapide à prononcer que: « avion à réaction ». Ces mots ont conquis leur droit de vivre dans notre hexagone. D'autres trahissent l'influence de la mode ou du snobisme, comme « royalties », plus élégant, plus flatteur que « redevance », « pourcentage » ou « commission ». Pour souligner un certain état psychique, on peut, de nos jours, préférer « break down » à « dépression » parce que le mot anglais marque plus d'intensité dramatique dans la douleur que son homologue français. Dans le jargon sportif, nous ne disposons d'aucun équivalent pour « slalom » (descente à skis avec passages imposés).

L'ouvrage de Roland Godiveau nous conforte dans l'idée que certaines expressions ou certains vocables français pourraient avantageusement se substituer à certains mots anglais. « Boutique franche » est plus explicite et plus heureux que « tax free shop »; pourquoi employer « shopping center » alors que nous avons « centre commercial »? Quel industriel, quel marchand, jugeant sans doute qu'il vendrait mieux ses lessives aux enzymes gloutonnes (et non « gloutons ») dans un « shopping center » que dans un « centre commercial », a demandé, et, hélas, obtenu, un visa d'entrée pour cette expression laide comme une machine à laver?

Il existe heureusement des exemples plus divertissants, tel celui de « happening » qui remplace depuis une dizaine d'années « impromptu » datant du XVIIe siècle.

L'intérêt et la richesse du lexique de Roland Godiveau nous font regretter qu'un collectionneur d'impuretés langagières ne les ait pas relevées à chaque génération. Cela nous permettrait de constater que notre langue, prudemment attachée à ses origines, conservatrice dans l'âme, finit parfois par accepter les mots indispensables et par rejeter les autres après avoir suscité des anticorps qui, d'année en année, les conduisent à la désuétude, puis à l'oubli. Souhaitons que l'auteur, d'ici à quelques années, nous donne une seconde édition de ce dictionnaire pour établir un nouveau constat de bonne santé (ne pas dire « check up »!) de notre langue, de sa permanence, de sa vivacité, et, surtout, de son bon sens.

Maurice RHEIMS,
de l'Académie française

À Christiane Delacroix,
journaliste à T.F.1.,
ma femme.

AVANT-PROPOS

Cet ouvrage est l'aboutissement de huit années d'observations linguistiques faites par le Secrétariat permanent du langage de l'audiovisuel, à l'écoute des principales émissions de la Radiodiffusion et de la Télévision françaises, en particulier les tranches d'informations, de reportages, de variétés et de jeux. L'attention ainsi portée à ces émissions destinées au grand public, ayant toutes un caractère d'expression directe et spontanée, a permis à un groupe d'observateurs, de formation et d'âge différents, de réunir, de 1969 à 1977, une somme de renseignements rigoureusement contrôlés sur le français parlé à l'antenne.

Ces constatations ont servi de base aux recommandations et mises au point, publiées depuis 1971 par *Hebdo-langage* (O.R.T.F.), puis *Télélangage*, que je présente aujourd'hui sous les espèces de ce petit « livre-outil ». Je précise qu'elles ont toutes fait l'objet de consultations écrites et parlées auprès de praticiens de la langue, écrivains et universitaires, ainsi que de communications et d'échanges dans les milieux francophones.

Ce livre n'entend pas s'ajouter à la liste déjà longue des « dictionnaires des difficultés ». Il souhaite seulement rappeler quelques normes et règles d'usage en matière de grammaire, vocabulaire et prononciation, à ceux qui ont pour profession de s'adresser au public, notamment par le micro.

Aux incorrections bien connues des pédagogues s'ajoutent certaines nouvelles « façons de parler » propres à notre époque (terminologie, tournures syntaxiques, modes, et même tics...) que la toute-puissance des techniques de l'audiovisuel tend à imposer, chaque jour davantage, à un public de plus en plus étendu:

— D'abord un goût immodéré chez certains pour les acrobaties de langage, en parlant trop pour dire peu, en cherchant à donner une coloration scientifique, souvent compliquée, à des questions qui peuvent être traitées dans le simple langage quotidien, clair et précis, accessible à tous.

— Il arrive ainsi que, parlant d'abondance, on dise un peu n'importe quoi n'importe comment: impropriétés, glissements de sens, néologismes bâclés (« les néologismes, ces enfants naturels du langage, qui n'ont pas toujours très bonne réputation », comme l'écrit Maurice Rheims) [1], barbarismes, insupportables clichés, etc. Ajoutons-y l'emploi injustifié d'anglicismes, souvent inutiles, quand il existe des équivalents français. Mais l'emprunt à une langue étrangère peut être justifié s'il est nécessaire à l'expression normale de la pensée.

— Parmi les tournures nouvelles, il convient de souligner l'usage intempestif d'abréviations, du style « télégraphique », comme si on était vraiment obligé de parler très vite, trop vite. Parlant mal, on risque de ne pas être vraiment compris.

— La syntaxe, elle-aussi, même réduite par les nécessités de l'expression orale, prend de singulières libertés, en mutilant par exemple les accords des participes passés (pronominaux surtout) et des adjectifs, en supprimant un élément de la négation, ou en disloquant les interrogations...

— Le choix des mots, comme le ton ou l'accent, aboutissent parfois à des familiarités de mauvais goût, aux vulgarismes faciles de l'homme de la rue, même à l'argot. Certains s'imaginent ainsi être plus proches du grand public. A tort. En effet, l'auditeur aime bien que les « informateurs », par exemple, lui parlent correctement, en gens sérieux, et non en « copains ». Sans compter que ce laisser-aller conduit tout

1. *Dictionnaire des mots sauvages,* Larousse édit.

droit à la confusion et à l'équivoque. De plus, une prononciation incertaine ou malheureuse ne peut qu'ajouter à l'obscurité de la phrase. Le meilleur conseil à donner: celui de parler simplement, clairement, correctement, dans le souci permanent d'assurer une communication immédiate, et efficace, avec le plus grand nombre.

Bref on peut dire que celui qui surveille sa façon de parler en public concourt au maintien de la qualité de la langue française comme à son enrichissement. Le français n'est pas une langue figée, Dieu merci! Elle vit et s'adapte aux conditions d'un monde moderne en pleine mutation. À nous de respecter l'évolution nécessaire du langage, — sans chercher à trop le brider pas plus qu'à le laisser galoper à l'aventure —, dans une modération active, loin des excès. C'est dans cet esprit que je publie les conseils pratiques que le Secrétariat permanent a élaborés à l'intention des professionnels de l'audiovisuel et qui peuvent sans doute intéresser bien d'autres.

Pour terminer, je voudrais remercier Mme Anne-Marie Carrère, secrétaire documentaliste de la commission du dictionnaire de l'Académie française, pour ses démarches et ses conseils, ainsi que Mlles Sylvie Léveillé et Nicole Gendry, assistantes, qui m'ont aidé dans le dépouillement et le collationnement d'une abondante documentation.

R.G.

Paris, le 23 septembre 1977.

ABRÉVIATIONS

Abrév. :	Abréviation
Acad. :	Académie française
Adj. :	Adjectif
Angl. :	Anglicisme
Ciné. :	Cinéma
Coll. :	Collection
Const. :	Construction
Dir. :	Direct
Éco. :	Économie
Équival. :	Équivalent
Gram. :	Grammaire
Ind. :	Indirect
Inf. :	Infinitif
Int. :	Intransitif
J.O. :	Journal officiel
N.F. :	Nom féminin
N.M. :	Nom masculin
Nég. :	Négation
Néol. :	Néologie
Orth. :	Orthographe
Pl. :	Pluriel
Prén. :	Prénom
Pron. :	Prononciation
Pub. :	Publicité
Réc. :	Récent
Sing. :	Singulier
Sport. :	Sportif
Subj. :	Subjonctif
Subs. :	Substantif
Tech. :	Technique
T.V. :	Télévision
Trans. :	Transitif
Voc. :	Vocabulaire.

À (VELO, SKI, MOTO...) (Gram.). *On va à la campagne* EN *auto ou* À *vélo.*

Noter qu'on dit EN *auto*, EN *avion*, EN *bateau*, EN *voiture* (car en = DANS), mais on dira en revanche, À *vélo,* À *moto,* À *ski,* À *pied,* À *cheval...* (car *à* = *sur* ou *avec*).

À s'emploie en principe pour les véhicules qui *portent* ou *supportent* leurs passagers et **en** pour ceux qui les *contiennent.*

ABORDER, ACCOSTER (Voc.) ont des sens voisins, en langage maritime:

Accoster: *Venir se placer le long d'un quai ou d'un autre navire.* Ex.: *La chaloupe, qui avait recueilli les survivants,* ACCOSTA *le paquebot.*

Aborder: lorsqu'il est intransitif, est synonyme de *prendre terre, accoster.* On peut donc dire: *La vedette* ABORDA *à l'embarcodère,* mais, lorsqu'il est transitif, *aborder* signifie, *accrocher un navire pour le prendre à l'abordage* ou *l'éperonner*: *Le paquebot* ABORDA *la chaloupe et la fit couler.*

Mais ces termes nautiques sont en train de disparaître devant leurs emplois modernes, qui font qu'*aborder* signifie *aller à quelqu'un pour lui adresser la parole*, tandis qu'*accoster* implique un certain sans-gêne, voire une certaine grossièreté. Nuance!

ACCEPTATION (Voc.). Action d'accepter. Ne pas confondre avec **ACCEPTION**, qui équivaut à *signification* en lexicologie. Ex.: *Ce terme doit être pris dans son* ACCEPTION *traditionnelle.* On dit aussi:

sans acception de fortune, de personne, c.-à-d. *sans faire entrer en ligne de compte.*

ACCOMPLIR (Voc.). Voir **COMMETTRE.**

ACCOMPLISSEMENT (Voc.). Attention à l'anglicisme. Ne pas dire: « Ce disque est un bel accomplissement de Baremboïm », mais *ce disque est une belle réussite de Baremboïm.*

ACCUSÉ. Voir **INCULPÉ, PRÉVENU.**

ADDENDA (Pron.). Mot latin à prononcer *addinda* et non « add*a*nda ».

ADÉQUAT (Pron.). Prononcer *a-dé-coua, coua* comme dans *équateur* et *équation* et non « adékat ».

ADJECTIF + nom (Pron.). Voir annexe.

ADONAÏ est prononcé en français: *Adona-ï,* car le tréma détache la voyelle sur laquelle il est placé.

ADVERBES *en* **ÛMENT**: S'écrivent toujours avec un accent circonflexe qui remplace la lettre *E* des formes anciennes. Ex.: *Assidûment, congrûment, continûment, crûment, dûment, incongrûment, goulûment, indûment* (et non plus « assiduement », « congruement...).

AFFACTURAGE n. m. (Anglais « factoring »): Opération ou technique de gestion financière par laquelle, dans le cadre d'une convention, un organisme spécialisé gère les *comptes clients* d'entreprise en acquérant leurs créances, en assurant le recouvrement pour son propre compte et en supportant les pertes éventuelles sur des débiteurs insolvables.

Ce service, qui permet aux entreprises qui y recourent d'améliorer leur trésorie et de réduire leurs frais de gestion, est rémunéré par une commission sur le montant des factures. (Arrêté du Ministère de l'Économie et des Finances, J.O. 3.1.1974.)

AFFICHER, VISUALISER (Voc. de l'information): Inscrire les résultats d'un traitement sur un **VISUEL** (Voir **VISUALISER, VISUEL**).

AFFRÉTER, FRÉTER. Il convient de maintenir la distinction entre *fréter*: *Donner en location* et son composé *affréter*: *Prendre en location*, pour éviter l'ambiguïté de « louer » qui signifie aussi bien « donner en louage » que « prendre en louage ». Voir **FRÉTER**. On dira: *Une compagnie d'aviation* FRÊTE *des avions à une agence de voyage,* et *une agence de voyage* AFFRÊTE *les avions d'une compagnie de voyage.*

AGENDA: Mot latin à prononcer *ajinda* (et non « ajanda »).

AGNOSTIQUE: À prononcer *a*G*-nostique* (*g* dur).

AIDER À QUELQU'UN, AIDER QUELQU'UN (Gram.) Sont employés aujourd'hui indifféremment. À tort, car « Aider à » est un archaïsme.

AIDER s'emploie normalement avec *à ce que*, comme c'est le cas pour *s'appliquer*, *s'attendre*, *se décider*, *parvenir*, etc. Mais on dira: *S'attendre que*, *faire attention que.*

AJACCIO: Pron. en français *Ajaksio* et non « Ajassio ».

ALARMANT, « INQUIÉTANT ». S'emploient par opposition à « rassurant » (*symptômes alarmants*). À distinguer d'**alarmiste**, qui tend à inquiéter intentionnellement (*rumeurs alarmistes*).

ALLER À, ALLER CHEZ (Gram.) ont des sens différents selon la préposition avec laquelle on les emploie. On dira: *Aller* AU *salon de coiffure*, mais *aller* CHEZ *le coiffeur.*

ALTERNATIVE, n.f. Désigne *un choix entre deux possibilités.*
C'est une impropriété que de l'employer pour désigner une solution unique de remplacement, l'un des termes d'un choix. On dit: *Il est*

placé devant cette alternative: adhérer à la politique du gouvernement ou démissionner, et non pas: « il n'y a pas d'autre alternative à la politique du gouvernement » pour dire *il n'y a pas d'autre solution*.... On ne dira pas non plus: « l'alternative libérale » pour signifier *la solution libérale*. Mais l'évolution est rapide qui — dans la langue parlée — va de l'incorrection véritable à un nouvel usage... Il s'agit là d'un mot trompeur qui veut dire en fait le contraire de ce qu'il signifie en vérité. Mais c'est un fait!

ALTO(S.) L'usage contemporain, ayant intégré au vocabulaire courant certains mots italiens concernant la musique, impose aussi les pluriels français. On dira: des *altos* (et non des « alti »), des *sopranos*, des *concertos*, et, même en pluriel invariable, des *prima dona* (Voir ces termes).

AMARRAGE, ARRIMAGE. Ne pas confondre **amarrer** (et **amarrage**), c.-à-d. *attacher* ou *relier* un vaisseau à un autre vaisseau, à un quai ou à une bouée, qui est une opération *extérieure* au vaisseau, et **arrimer (arrimage)**, c.-à-d. répartir la cargaison à *l'intérieur* d'un navire ou ranger méthodiquement des colis dans un wagon ou un camion. Confondre ces deux mots aboutit à ne plus se comprendre. Mais la confusion est fréquente.

AMENDEMENT, AMENDER. Signifie *améliorer, corriger*. Ex.: *La loi doit être amendée*. A ne pas confondre avec **AMODIER**.

AMENER, APPORTER. **Amener** et **ramener**, employés au sens propre, signifient *conduire en menant*, ce qui implique un contact avec le sol, tandis que **rapporter**, **apporter**, **emporter** impliquent l'absence de contact. Mais, dans l'usage courant, depuis deux décennies, on emploie plus souvent **ramener** que **rapporter**. À tort! On dit par ex.: « J'ai ramené un disque de la Nouvelle Orléans » au lieu de *j'ai rapporté un disque*...

Cet emploi d'**amener**, avec un sujet animé, est familier, et, pour certains, vulgaire.

AMODIER, AMODIATION. Synonyme d'*affermer*. Mot à ne pas confondre avec **AMENDER** (Voir ce mot).

À MOINS QUE + nég. Locution conjonctive suivie du subjonctif. On dira généralement: *À moins qu'il* NE *vienne*, mais on peut dire aussi: *à moins qu'il vienne*. Voir **AVANT QUE...** et **SANS QUE...**

AMPÈRE. Abrév. A (majuscule) car il s'agit à l'origine d'un nom de personne.

ANTICIPER, ANTICIPER SUR. **Anticiper quelque chose** a le sens de faire, exécuter *avant* le temps déterminé. Ex.: *Anticiper le remboursement de mes dettes.*

Anticiper sur quelque chose est employé quand on parle de faits qui, dans l'ordre chronologique, ne devraient être abordés qu'*après* ceux qui les ont précédés. Le sens d'**anticiper** est modifié selon les prépositions avec lesquelles il est employé.

AON. Le groupe **aon**, en fin de mot, se prononce *AN*: *Laon, Craon, taon, paon, faon...*

AOÛT. Se prononce *ou* (à la rigueur *outt*, jamais « a-ou »), mais **aoûtat** est prononcé *a-ou-ta*, et **aoûtien**: *a-oû-sien.*

APOLOGIE: Discours écrit visant à *défendre*, *justifier* une personne, une doctrine. Ex.: *Il prétend appuyer son apologie de la guerre sur des arguments d'ordre moral.* Voir **PANÉGYRIQUE** et **ÉLOGE**, qu'il convient de ne pas confondre.

APPARAÎTRE, au sens de *se présenter à l'esprit*, se construit avec ou sans **comme**. On dit indifféremment: *Cette idée lui apparut lumineuse* ou *son innocence lui apparaissait comme impossible à prouver.*

APPLAUDIR A... a une double construction selon la nature du complément d'objet. À ne pas confondre: *On applaudit un spectacle ou* *un acteur*, et *on ne peut qu'applaudir à une initiative* (pour témoigner d'une vive approbation).

APRÈS QUE... se construit avec *l'indicatif*, ou le *conditionnel*, selon le cas, jamais avec le subjonctif. On dira: *Après qu'ils ont gagné* (et non « qu'ils *aient* gagné »). Pourquoi? P.c.q.: **après que** annonce un *fait passé*, donc réel, qui a existé, alors que le subjonctif, fréquemment employé aujourd'hui à tort, présente un fait comme n'ayant pas eu lieu, un *fait à venir*, donc hypothétique. Il faut constater qu'une certaine confusion s'est établie entre **après que** et **avant que** (ce dernier gouvernant sans conteste le subjonctif). Pour éviter ce fâcheux rapprochement, la correction et la logique imposent l'indicatif. Songeons à employer la locution *une fois que* (qui a le même sens qu'**après que**) qui gouverne normalement l'indicatif. Il n'y aura plus alors de risque d'erreur! Voici deux exemples à l'appui de la règle: *On cherche ce qu'il a dit après qu'il* A PARLÉ (Molière), *il parlera après que vous* AUREZ PARLÉ; et pour désigner un fait éventuel: *Comme un miroir qui garderait l'image après que l'objet aurait disparu* (Victor Hugo).

Attention à ne pas confondre l'orthographe de la 3e personne du sing. du passé antérieur de l'indicatif: *après qu'il* EUT *dormi*, et celle du subj. plus-que-parfait: *avant qu'il* EÛT *achevé*; seul l'accent circonflexe marque la différence, car la ressemblance phonétique est totale.

AQUICULTURE. Terme recommandé par l'Académie française. Il a donné: *aquiculteur, aquicole*. « Aquaculture » n'existe pas.

ARGUER. La finale de **arguer** se prononce *gu-é* (et non par comme un « gué »). De même on prononcera « il argua » *ar-gu-a* (et non « ar-ga »), et « il arguera » *ar-gu-ra* (et non « ar-ge-ra »).

ARRACHÉ (*à l'*). Voir **FINISH**.

ARTÉRIOSCLÉROSE: maladie caractérisée par le durcissement progressif de la paroi des artères, à distinguer d'**athérosclérose**, variété de sclérose artérielle dont *l'infarctus* du myocarde est une manifestation type (et non pas « infractus », comme on le dit parfois à tort par un rapprochement inattendu avec « fracture »).

ARTICLE ou *l'article zéro*, cher aux linguistes, c.-à-d. l'absence d'article qui fait, par ex., de *français* un adverbe dans le titre *Parlons français* (comme *parler Vaugelas*, *parler clair*). Raccourci évocateur qui peut dire aussi bien, au sens général, *s'exprimer dans sa langue maternelle*, que, au sens figuré *parler en bon français*. Mais on dira *parler le français*, avec une nuance d'exception, quand il s'agit d'un étranger qui est capable à l'occasion de se servir du français.

ASSIÉGER (une ville). Synonyme d'**INVESTIR**, qui par un glissement de sens, prend de plus en plus la place d'« envahir », « occuper » (Voir **INVESTIR**).

Confusion très gênante pour la communication, car annoncer sur les antennes qu'une ville (ou un édifice) a été *investie* permet aux uns de penser qu'elle est seulement *assiégée* et aux autres qu'elle a été enfin « prise » et « occupée ». Mais le nouvel usage semble s'être imposé.

ATTENTION (à l'... de) est la formule administrative courante (et non pas comme on le voit parfois « à l'intention de »).

ATTESTER. Contrairement à **TÉMOIGNER**, se construit sans préposition quand il a le sens de *certifier* ou *servir de témoignage*: *J'atteste la vérité de ces affirmations* (et non « j'atteste *de* la vérité... »). Mais quand **attester**, au sens de *prendre à témoin*, signifie *attester quelqu'un de qq.ch.*, on dira par ex.: *Il atteste l'auditoire de sa sincérité.*

AU (Pron.). prononcer *au* = *ô*, comme dans *chaud*. Ex.: *De Gaulle, gauche, Paule, épaule, aube, rauque* et *saule*. Mais on prononcera le *au* de *Maures*, *Paul* et *Laure*, comme dans *mort*, *roc*, *sol*.

AU NIVEAU DE... est devenu un cliché envahissant, ainsi du reste que « au plan de » qui semble avoir (mal) remplacé *sur le plan de*.

Au niveau de est souvent employé improprement à la place de « dans », « pour », « au sujet de », « dans le domaine de », « en ce qui concerne », « en matière de », etc. Les vrais synonymes de **au niveau de** sont: *à la hauteur, à la portée de...* Ainsi est-il abusif de parler d'une « opération au niveau du cœur », alors que le contexte désigne nettement une *greffe cardiaque.*

AUSSI... QUE, SI... QUE (Adv.). Confusion fréquente. Il est certainement préférable de les distinguer, car **aussi** marque l'*égalité* et **si** le *haut degré.* Ex.: *Si grande qu'ait été leur bonne volonté, ils se sont dégagés* est préférable à « aussi grande qu'ait été... »

AUTOGRAPHE est masculin, mais **AUTOROUTE** est féminin, comme *auto* et *route*, comme aussi *autoradio* devrait l'être, contrairement à l'usage publicitaire.

AUXERRE (*comme* **Auxonne**). La consonne *X*, équivalant à *SS*, est prononcée *Ausserre.*

AVANT QUE + ne. Avec **avant que** l'emploi de **ne** est facultatif. Voir **À MOINS QUE.**

AVATAR. Sens traditionnel: *Transformation, métamorphose.* L'usage contemporain lui donne souvent le sens d'« aventure » auquel il ressemble. À tort.

AVÉRER (S'). À l'origine, **avérer** signifiait « rendre vrai », « confirmer ». Aujourd'hui, il n'est plus employé qu'au participe passé: *C'est un fait avéré...* En revanche, la forme pronominale est courante, mais délicate à employer: le sens de *vérité* se perdant peu à peu, **s'avérer** devient synonyme de « se révéler », « se manifester ». Ce glissement de sens est dénoncé par certains grammairiens, car il peut conduire à des abus tels que: « s'avérer vrai » (pléonasme), ou « s'avérer faux » qui est un non-sens.

AYANT DROIT. Participe pris comme nom (un *ayant droit*) s'écrit au pluriel des *ayants droit*. Sans trait d'union. (Vocab. juridique).

AZALÉE est féminin comme **orchidée**.

BAGAGERIE. Néologisme *recommandé* pour désigner l'appareil tournant sur lequel sont déposés les bagages à la sortir de l'avion. Ne pas confondre avec « la consigne » qui garde les bagages moyennant finances.

BANDE. Après ce nom collectif (voir **MULTITUDE, FOULE, GROUPE, MASSE, TROUPE, TROUPEAU...**), l'accord du verbe se fait aussi bien — *au singulier*, si l'on veut insister sur la notion d'ensemble, — qu'*au pluriel*, si l'on veut insister sur les éléments qui composent l'ensemble. Nuance!

BAPTÊME, BAPTISER, JEAN-BAPTISTE. Ne pas prononcer la lettre *p*, comme dans *dompter*, *compter*, etc.

BARIL. Prononcé traditionnellement en français « bari(l) ».
Unité de volume d'origine américaine (« Barrel »), couramment employée, mais non admise par le Commissariat à la Normalisation. Équivaut à 150 litres environ: 1 000 barils par jour représentent 50 000 tonnes par an. (Voc. du pétrole. J.O. 12.01.73).

BARREUR. Désigne, en langage nautique, *le responsable du bord et de la navigation* lorsqu'il s'agit de *régate à voile*. Mais pour la *course-croisière*, on dira *le capitaine*. En anglais « Skipper ».

BASE (*entraînement de base*). Ne pas dire « entraînement FONCIER ».
L'entraînement de base est destiné à développer les qualités physiques générales et l'endurance d'un athlète, nécessaires à tous les

sports (par opposition à l'entraînement à une spécialité donnée, comme le saut à la perche ou le lancement du disque, par ex.).

BATTRE SON PLEIN. Il s'agit au sens propre du *plein de la mer*, c.-à-d. du moment où la marée est à sa plus grande hauteur et borde le rivage: *La mer bat son plein.* Au figuré, cette locution signifie *être à son point culminant*: *La fête bat son plein*, et l'accord doit être respecté: *Les causeries battaient leur plein* (A. Gide).

En aucune manière, de l'avis général des grammairiens, on ne dira « les causeries battaient *son* plein », comme si « son plein » s'opposait à « son creux ». « Son » est un adjectif, non un substantif.

BEAUCOUP. À la différence des noms collectifs (Voir **BANDE**), après les adverbes de quantité (*beaucoup, bien, trop, assez*...), l'accord se fait au pluriel. Ex.: *Beaucoup de bêtes ont péri*...

BÉNÉVOLAT. Néologisme (1955) recommandé: *Service assuré par une personne bénévole, sans obligation et gratuitement.* Construction semblable à celle de *mécénat.*

BESTSELLER. Cet emprunt à l'anglais semble acquis pour désigner un livre à gros tirage et de forte vente, un grand succès de librairie. Le néologisme récent, « bestsellérisation », semble risqué!

BILAN DE SANTÉ. Équivalent de « check-up » (en anglais: « examiner », « contrôler »): examen médical approfondi et systématique. Syn.: *Examen de santé.*

BILLET OUVERT. Équivalent d'« open ticket« , c.-à-d. billet permettant au voyageur de fixer librement la date de son voyage, sans réservation. Voir vocab. des Transports (J.O. 12 janv. 1973).

BILLETTERIE. Équivalent de l'anglais « ticketing ».

1. Ensemble des opérations relatives à la conception, l'émission et la délivrance des billets de transport.
2. Lieu où sont effectuées ces opérations ou certaines d'entre elles. (Voc. des transports).

BITUMEUX, BITUMINEUX. Adjectifs ordinairement équivalents. (Voc. du Pétrole J.O. 12 janv. 1973.)

BITURE, BITTURE. Terme de la langue maritime qui signifie: *(prendre) une longueur de chaîne suffisante pour mouiller l'ancre.* Mais le sens dérivé et argotique, plus pittoresque, est beaucoup plus connu.

BLOQUÉE (*Société*). Expression nouvelle très employée, produit d'une époque en pleine mutation. Synonyme d'*immobilisée.*

BON (PLUS... BON...). N'est employé que lorsque les deux mots ne se suivent pas. On emploie alors le comparatif *meilleur.* Ex.: *Plus ou moins bon*, mais *il est meilleur qu'on ne le pense.*

BOUTIQUE FRANCHE. Équivalent de « duty free shop » ou « tax free shop ». Boutique située dans une zone *hors douane* où les marchandises vendues ne sont pas soumises au paiement de droits ou de taxes. (Voc. des transports — J.O. 12 janv. 1973).

BREAK DOWN. Voir **DÉPRESSION NERVEUSE** (Voc. médical).

BY PASS. Voir **DÉRIVATION, ANASTOMOSE** (Voc. médical).

CALCULATEUR (n.m.). *Machine à calculer* effectuant automatiquement des opérations numériques, logiques ou analogiques (dans le cas d'un calculateur numérique à programme, cette machine est appelée *ordinateur*); *règle ou cercle à calcul* utilisé en navigation: *Calculateur d'estime, de route, etc.* (J.O. du 6.1.76).

CALENDES GRECQUES (*renvoyer aux*). Signifie *remettre à une époque qui n'arrivera pas* et non « remettre à une autre date ». En effet, si chez les Romains, les calendes désignaient le premier jour du mois, elles n'existaient pas chez les Grecs.

CALENDRIER, MINUTAGE (n.m.). Détermination des dates prévues pour l'accomplissement des différentes phases d'un programme (angl. « timing »). (J.O. du 6.1.76).

CAMERAMAN (REPORTER). Anglicisme dont l'équivalent, recommandé par la Commission de terminologie de l'O.R.T.F. est *Journaliste reporter (d'images)* (télévision et cinéma). À distinguer du « cadreur » ou « cameraman » de plateau.

CANCÉROGÈNE, CANCÉRIGÈNE. Ces deux termes sont admis mais le premier, recommandé par l'Académie des Sciences, semble d'un emploi plus fréquent (*Petit Robert* — 1977).

CANOT PNEUMATIQUE. (n.m.). *Embarcation de sauvetage gonflable* (angl. « dinghy »), (J. O. du 6.1.76).

CAP (*un*): Direction qu'on donne à l'avant d'un bateau de 0° (nord) à 360°, à ne pas confondre avec la **cape**, manœuvre par gros temps qui consiste à maintenir le bateau vent debout (en réduisant la voiture). On dit: *prendre un cap, changer de cap*, mais *mettre ou rester à la cape.*

CAPABLE. À distinguer de **SUSCEPTIBLE.** Selon l'Académie française (février 1965), en principe, **capable** désigne la capacité de *faire* une chose, d'*agir*, tandis que **susceptible** se dit de la possibilité de *recevoir* certaines qualités, de *subir* qq.ch. Ex.: *La loi est capable d'améliorer la situation* (possibilité active), et *La loi est susceptible d'être modifiée* (possibilité passive).

Toutefois **susceptible** est de plus en plus employé dans le sens de **capable.** Ex.: *Il est susceptible d'accomplir de grandes choses.* Mais alors, il exprime surtout une possibilité active *occasionnelle* et s'oppose encore une fois à **capable de.**

Comparez: *Il est capable d'enseigner le grec* (c.-à-d. il a les connaissances nécessaires), et *Il est susceptible d'enseigner le grec,* (c.-à-d. il peut être appelé à exercer les fonctions de professeur de grec).

Rappelons en outre qu'*un homme capable* est un homme habile, et qu'*un homme susceptible* est un homme qui s'offusque facilement !

CAPARAÇONNÉ. Adj. de **CAPARAÇON**: armure ou harnais d'ornement pour les chevaux. Attention au barbarisme « carapaçonné » tiré de « carapace ».

CAPITAUX FÉBRILES. Équivalent de « hot money »: *Capitaux cherchant de place en place, en période de crise, la plus-value maximale dans le minimum de temps.* (Voc. de l'Économie et des Finances; J.O. 12 janv. 1973).

CARAVANAGE (*caravane, caravanier*). *Terrain pour caravanes* ou *caravanes autorisées.* Équivalent du facile « caravaning » qui n'est d'ailleurs qu'un faux mot anglais fabriqué par les Français, comme « tennisman » et « rugbyman ».

CAS (*En tout*). S'écrit au singulier.

CASH AND CARRY. Voir **PAYER-PRENDRE** (Voc. de l'Économie et des Finances, J.O. 12.01.73).

CATASTROPHÉ. Néologisme outrancier, toujours déconseillé par l'Académie française. Mieux vaut dire: *extrêmement, très abattu.*

CATÉGORIEL. Adj. Néol. 1965, semble s'imposer au sens de: « qui concerne une ou plusieurs séries de personnes ». Ex.: *Revendications catégorielles.*

CAUSER AVEC... Expression à ne pas confondre avec une autre de sens voisin, mais de construction différente: **PARLER À...** Ex.: *Elle cause* AVEC *la concierge, mais elle parle* À *la concierge.*

CECI, CELA, comme **VOICI, VOILA** se distinguent par une nuance. Selon la règle: **ceci** et **voici** désignent ce qui suit, alors que **cela** et **voilà** désignent ce qui précède. Mais il est certain que l'usage les confond de plus en plus dans un même emploi, supprimant ainsi les belles nuances de la langue française.

CÉLÉBRER (idée de solennité). À distinguer de **FÊTER** (idée de réjouissance) et de **COMMÉMORER** (remettre en mémoire un événement). Ex.: *On célébrera le sanglant anniversaire de la Saint-Barthélemy.*

CELUI. Traditionnellement, **CELUI, CELLE, CEUX, CELLES** ne devraient être suivis que:

— d'un complément introduit par DE: *Je préfère ceux d'ici.*

— d'un pronom relatif: *Celle dont je t'ai parlé, ceux que j'aime.*

Cependant (en dépit de leur inélégance) l'usage tend à imposer les constructions où le démonstratif est suivi:

— d'une préposition autre que DE: « il préfère les objets en bois *à ceux* en plastique ». (On dira mieux: *Il préfère les objets en bois à ceux qui sont en plastique.*)

— d'un participe: *Je n'ai d'autres lettres que celles (qui sont) destinées à vos parents.*

Mais le tour avec un adjectif est à éviter. On dira par ex.: *Les élections présidentielles de 1974 et les législatives de 1978* (et non « celles législatives de 1978 ».

CENT, VINGT (*pluriel de*). **Cent** et **vingt** prennent la marque du pluriel quand ils sont multipliés. Ex.: *Quatre cent*s *ans*, ou *quatre-vingts ans* (mais *il a vingt ans, « les cent livres des hommes »*). En revanche les multiples entiers de **vingt** et **cent** sont *invariables*:

— Quand ils sont suivis d'un autre nombre ou de MILLE:
Ex.: *Quatre-vingt-dix ans, deux cent un ans, quatre-vingt-mille ans* ou *deux cent mille ans.*

— De plus, **vingt** est invariable quand il suit **cent** et **mille**:
Ex.: *Cent vingt hommes, mille vingt francs,*

et **cent** est également invariable après **mille**:
Ex.: *Mille cent francs* (mais *onze cent*s *francs*).

— Enfin dans le sens de *vingtième* et *centième*, **vingt** et **cent** sont invariables:
Ex.: *Page quatre-vingt* (quatre-vingtième page),
l'an mille neuf cent (la mille neuf centième année).

En revanche, les multiples de **vingt** et **cent** prennent l'*s* du pluriel devant **millier, million** et **milliard**:
Ex.: *Quatre vingt*s *milliers, deux cent*s *millions.*

CENTRE-AUTO. Équivalent de l'anglais « auto-center »: *Magasin où l'on trouve tout ce qui se rapporte à l'automobile.* (Voc. de l'Économie et des Finances. J.O. 12 janvier 1973).

CENTRE COMMERCIAL. Équivalent de l'anglais « shopping center ». *Grande surface de vente rassemblant plusieurs commerces et comprenant un parc de stationnement.*

CE QUI, CE QU'IL. La confusion entre **ce qui** et **ce qu'il** est courante: elle est favorisée par la prononciation.

Mais avec **FALLOIR**, il faut toujours **ce qu'il**: *Vous ferez tout ce qu'il faut.*

De même avec **PLAIRE**, il convient d'employer **ce qu'il** quand on peut sous-entendre l'infinitif du verbe employé précédemment: *Je ferai ce qu'il me plaît* (de faire), *je dépense d'argent qu'il me plaît* (de dépenser).

Devant les autres verbes, on peut employer, indifféremment, **ce qui** ou **ce qu'il**: *C'est tout ce qui me reste* ou *c'est tout ce qu'il me reste*... mais on dira: *Faites ce qu'il vous semble bon.* Voir **QUI** et **QU'IL**.

C'EST, CE SONT. Dans la locution **c'est**, le verbe s'accorde de préférence, dans la langue soignée, avec le pluriel qui suit. Ex.: *Ce sont les belles promesses qu'il a faites.*

Cependant:

— Le singulier est *obligatoire*:
Devant un pronom de la 1re ou de la 2e personne: *C'est nous qui l'avons dit.*

Devant une préposition: *C'est d'eux que dépend la situation.*
Quand le pronom relatif qui suit est complément d'objet direct: *C'est eux que j'accuse.*

— Le singulier est *facultatif*:
Devant un pluriel de la 3e personne: *C'est eux qui l'ont fait* ou *ce sont eux qui l'ont fait.*

— Le singulier est généralement *préféré*:
Dans une interrogation: *Est-ce là vos prétentions*?
Dans une forme négative: *Ce n'est pas eux*;
Dans l'expression: *C'en est*;
Devant l'énoncé de sommes, d'heures, de quantités quelconques: *C'est 5 000 F que je vous dois* (mais: *ce sont de grosses sommes que je vous dois*).

CHACUN. Quand le pronom **chacun** renvoie à un pluriel, pour exprimer une idée distributive, on emploie indifféremment SON, SA, SES ou NOTRE, NOS, VOTRE, VOS, LEUR(S). Ex.: *Ils vont chacun de son côté*, ou *de leur côté.*

Mais dans une phrase à sujet singulier, on ne peut dire que: *à chacun selon ses besoins, chacun est venu à son tour.*

CHANCE. Ne pas confondre avec **RISQUE**. Aujourd'hui **chance** a de plus en plus le sens positif de *hasard heureux*, alors que **risque** comporte une idée de *danger* ou *d'inconvénient grave*, c.-à-d. de conséquences malheureuses. La Loterie Nationale a donné un exemple magnifique avec son slogan publicitaire: *Qui risque un peu à la loterie nationale a des chances de gagner beaucoup.*

CHAQUE. Dans la langue actuelle **chaque** est adjectif et ne peut être employé qu'accompagné d'un nom: *Chaque volume vaut 20 F, ces bouteilles valent 20 F chacune* (et non chaque), *j'ai deux raisons dont chacune* (non pas chaque) *est suffisante.*

CHARRUE DEVANT LES BŒUFS (*mettre la*). Voir **METTRE**.

CHECK-UP. Voir **EXAMEN DE SANTÉ**.

CHEF-D'ŒUVRE. Prend la marque du pluriel à *chefs*, mais pas à *œuvre*, qui reste invariable.

CHELEM. Terme de jeux de cartes; réunion de toutes les levées dans un camp. Se prononce *ch'lem* (et non (chElem »).

CHEPTEL. Aujourd'hui le *P* se prononce *cheP-tel*, la prononciation « ch'-tel » étant archaïque.

CHOSIFIER. Néol. philos.: *Transformer des concepts, théories, en objets concrets, réels.*

CHUTER. Emploi abusif au sens de *tomber*. Terme actuellement à la mode, à n'utiliser qu'exceptionnellement. Ne pas parler d'un cours de Bourse qui « chute », mais qui *baisse*, ni du vent qui a fait « chuter » de nombreuses clôtures.

CI-JOINT, CI-ANNEXÉ, CI-INCLUS (*accord de.*) Ces expressions sont *variables* quand on les considère comme épithètes ou attributs. Ex.: *Les copies ci-jointes*, ou *vous trouverez ci-jointes les copies demandées.*

Ces expressions sont *invariables* quand on leur donne une valeur adverbiale (comme *ci-contre* ou *ci-dessus*). Ex.: *Vous trouverez ci-joint (ci-inclus, ci-annexé) les copies demandées.*

Bref, ces expressions sont *variables au choix* dans les cas ci-dessus, mais elles sont *toujours invariables* — selon l'usage —:

— Quand elles sont en tête de la phrase. Ex.: *Ci-joint la copie demandée.*

— Quand, dans le corps de la phrase, elles précèdent *un nom sans article*, sans démonstratif, ni possessif. Ex.: *Veuillez trouver ci-joint* (ou *ci-inclus, ci-annexé*) *copie de la lettre du*... (mais on dira: *Veuillez trouver ci-jointe la copie de*...).

CINQUANTAINE. Quand le terme collectif désigne une fraction au singulier (*1/3*, *1/4*) ou une quantité numérable (*moitié, douzaine, dizaine, cinquantaine, etc.*):

1. S'il a son *sens strict*, l'accord se fait au *singulier*: *Une douzaine d'œufs est nécessaire à cette préparation. En Suède, la moitié des sièges est revenue au parti socialiste, l'autre moitié à l'opposition.*
2. S'il a un *sens approximatif* (ou figuré), l'accord se fait au *pluriel*: *Une centaine d'invités se sont pressés à cette inauguration. La moitié des téléspectateurs ont apprécié cette émission.*

CIRCONFLEXE (*accent*). On écrit: *Il paraît,* ou *tu connaîtras* (avec l'accent), mais *tu parais,* ou *je connais* (sans accent), car l'accent circonflexe coiffe l'*i* du radical des verbes en *aître* et en *oître* chaque fois que l'*I* est suivi d'un T.

Il en est de même pour la 3e personne du singulier du présent de l'indicatif de **plaire, déplaire, complaire**, mais aussi de **clore**. On écrira: *Il plaît, il se complaît, il déplaît* et *il clôt.*

On écrit: *Tu croîs en sagesse* (avec l'accent), mais *tu crois en la sagesse* (sans accent), car c'est justement l'accent qui permet de faire une distinction écrite entre les verbes **croître** et **croire**, quand on risquerait de les confondre.

On écrit: *Cet argent m'est dû* (avec l'accent), mais *cette somme m'est due* (sans l'accent), car seule le masculin singulier du participe passé des verbes **devoir, recevoir, croître, mouvoir** s'orne de l'accent circonflexe. Ce qui n'est jamais le cas du féminin ni du pluriel.

L'accent circonflexe est obligatoire à la 1re et à la 2e personne du pluriel du passé simple: *Nous aimâmes, vous fîtes, nous lûmes,* etc., ainsi qu'à la 3e personne du singulier de l'imparfait du subjonctif: *Qu'il aimât, qu'il fît, qu'il lût.* Mais il est vrai que l'imparfait du subjonctif n'est plus guère employé!

Quant aux ADVERBES, on les écrit désormais avec un accent qui remplace la lettre *e* des formes anciennes. Ex.: *Assidûment, congrûment, continûment, crûment, dûment, goulûment, incongrûment, indûment* (et non plus « assiduement », « congruement »...).

CLASSIQUE. Terme normal, comme **TRADITIONNEL**, pour replacer l'anglicisme « conventionnel ». Voir ce mot.

CLEARING. Voir son équivalent **COMPENSATION**.

CLEMENCEAU. Se prononce *clé.* Mais s'écrit « Cle » (sans accent).

CLIMATIQUE (Adj. dérivé de « climat »), **CLIMATOLOGIQUE:** Relatif au climat: *Les avantages climatiques d'une région.* À ne pas confondre avec **climatologique,** qui s'applique à tout à ce qui se rapporte à la climatologie (science qui étudie les climats). Ex.: *Les cartes climatologiques.*

CLORE. À ne pas confondre avec **CLÔTURER**.

CLOSE-UP. Anglicisme dont les équivalents français sont **PLAN RAPPROCHÉ** (cinéma), **PLAN SERRÉ** et **GROS PLAN** (T.V.). (Terminologie de l'audiovisuel. Voir J.O. 13 mars 1976.)

CLÔTURER s'emploie trop souvent à la place de **CLORE** dans les expressions: « Clôturer un débat, une séance, un congrès ». Il faut dire: *Clore un débat, une séance, un congrès* (Académie française 1973). Éviter de dire à la fin d'un reportage télévisé: « Pour clore ces images » ou « Pour clôturer ces images », l'un et l'autre impropres. Dire plutôt: *Pour conclure* ou *pour terminer sur ces images.*

COCHE D'EAU. Équivalent de **HOUSE-BOAT**.

COLLECTIVE (*publicité*). Terme utilisé à Radio-France de préférence à **COMPENSÉE,** parce que plus précis et plus approprié.

COLLÈGUE, CONFRÈRE. Le premier s'applique à des *fonctionnaires,* le second à ceux qui ont une *même profession sans être fonctionnaire* (avocat, journaliste, académicien, prêtre).

COLLISION, COLLUSION. À ne pas confondre. Le premier: Choc de deux corps, rencontre violente de deux parties... Le deuxième: Entente secrète de deux ou plusieurs parties au préjudice d'un tiers.

COLORIS-TOP: Anglicisme publicitaire. Équivalent: *Coloris en vogue.*

COMMENCER À (*m'amuser*), n'a pas le même sens avec une autre préposition. Ex.: **Commencer par** (*s'amuser*).

COMMETTRE. Au sens d'**ACCOMPLIR** ne s'emploie que pour un acte blamâble: *On commet une injustice*, mais *on accomplit un exploit.*

COMPARAISON. L'emploi de *NE*, dans une comparaison, est facultative (on dit indifféremment: *Il est plus libre que vous croyez* ou *que vous ne croyez*), ainsi que l'emploi de *LE* (*Il est plus libre que vous le croyez*, ou *que vous ne le croyez*). C'est affaire de nuances ou d'oreille.

COMPENSATION. Équivalent de l'angl. « clearing ». Désigne tout mécanisme de compensation de dettes ou de créances, ainsi qu'un accord bilatéral de paiement entre deux pays. (J.O. 29 nov. 1973).

COMPENSÉE (*Publicité*). Voir **PUBLICITÉ COLLECTIVE**.

COMPLAIRE (SE). Participe passé invariable: *Ils se sont complu.*

COMPLEXÉ. Voir **SOPHISTIQUÉ**.

COMPTE RENDU. Pas de trait d'union. Pluriel normal.

COMPUTER. Voir équivalent **CALCULATEUR**.

CONCÉDER. *L'équipe concède deux buts sur coup franc.* Considéré comme anglicisme dont l'emploi est critiqué par les dictionnaires (concéder, en effet signifie traditionnellement « accorder quelque chose *de son plein gré* à son adversaire »). Mais ce terme a pris un sens nouveau largement répandu dans la langue sportive: *concéder* un but, un « corner », la victoire, expressions où il n'existe guère d'équivalent satisfaisant. On peut donc considérer que ce sens nouveau fait aujourd'hui partie de l'usage.

CONCERNER. Au participe passé, néol. excellent, à la mode (trop!). Équivaut à *intéressé.*

CONCERT (*de*). Signifie d'un *commun accord*, après s'être *concerté*: *Agir de concert.*

CONCERTO (S) (ou prononciation des termes italiens du domaine artistique).

L'usage contemporain, ayant intégré ces mots dans le voc. courant, impose aujourd'hui des pluriels français: Des *sopranos*, des *altos*, des *concertos*, et même, en pluriel invariable, des *prima donna.*

Du temps où les milieux cultivés connaissaient l'italien, on parlait alors de « soprani », d'« alti », de « concerti » et de « prime donne » (pron. « primé donné »).

CONCLURE. Selon le cas, à préférer au mot passe-partout « intervenir ». Ex.: *Un accord a été conclu*, au lieu de « un accord est intervenu ».

CONCORDE: Nom du type d'appareil, et non pas le nom de baptême de tel ou tel appareil. On emploiera donc l'article d'une manière générale, de la même façon qu'on dit: *le Boeing Paris-Naples* ou *la Caravelle Paris-Marseille*, et non pas « Concorde » tout court, ni « la Concorde ».

CONDENSÉ (n.m.). Résumé de texte. (Angl. « digest ». (J.O. du 6.01.1976).

CONFORTER. Terme nouveau de bon aloi: *Fortifier, restaurer.*

CONJECTURE, CONJONCTURE. Mots de sons voisins appartenant à des familles distinctes.

La **conjoncture**: Situation qui résulte d'une rencontre de circonstances, et qui est le point de départ d'une action politique ou économique. Ex.: *La conjoncture actuelle est favorable.*

La **conjecture**: Opinion établie sur des probabilités (synon.: *hypothèse*). Ex.: *Se perdre en conjectures.*

De même, on distinguera les adjectifs *conjoncturel* et *conjectural.* Ex.: *Sciences conjecturales, mesures politiques conjoncturelles.*

CONSÉCUTIF, à distinguer de **SUCCESSIF**:

Successif signifie:

— au singulier: *qui succède à d'autres.* Ex.: *Merckx a remporté sa 3ᵉ victoire successive;*

— et au pluriel: *qui se succèdent.* Ex.: *Ses demandes successives n'ont pas abouti.*

Consécutif:

— Ou bien traduit un rapport de cause à effet. Ex.: *Sa maladie est consécutive à un accident.*

— Ou bien qualifie des choses qui se suivent dans le temps et ne s'emploie qu'au pluriel. Ex.: *E. Merckx a remporté trois victoires consécutives* (et non « sa troisième victoire consécutive »). Voir **SUCCESSIF**.

CONSENSUS. Prononcer *con-*INS*-sus* (et non « con-SAN-sus »).

Il en est de même pour *referendum, agenda, modus vivendi*, etc., mots latins passés dans la langue française.

CONSÉQUENT. Signifie *conforme à la logique.* Ex.: *Cet homme est conséquent dans sa conduite.* Il ne peut être employé au sens d'« important », « sérieux ».

CONSERVE (DE). Désigne le navire qui fait route avec un autre, pour le secourir éventuellement: *Aller de conserve.* Ex.: *Le navire-école, « La Jeanne d'Arc », est accompagné par l'escorteur « Le Corbin ». Ils font de conserve le tour du monde.* Par extension, dans le langage familier, « aller de conserve » est l'équivalent d'« aller en compagnie ».

CONSIDÉRER COMME. Quand **considérer** est employé au sens de *juger, estimer, attribuer une qualité à*, l'attribut du complément d'objet doit être introduit par *comme*. On dira que: *Je le considère comme le meilleur écrivain de son temps* et non pas: « Je le considère le meilleur écrivain de son temps »; *je considère ces problèmes comme importants*; ou encore: *... des termes que je considère comme désobligeants*.

Il s'agit là de bonne logique, et les derniers dictionnaires publiés sont tous d'accord sur ce point.

CONSOLE DE VISUALISATION ou **VISUEL** (Angl. « display »). Dispositif d'affichage ou d'inscription sur un écran ou sur une console à tube cathodique; désigne aussi cet écran ou cette console.

Verbe correspondant: **visualiser** ou **afficher** (inscrire les résultats d'un traitement sur un visuel). (Voc. de l'Informatique. J.O. 12 janv. 1974).

CONSORTIUM BANCAIRE (Angl. « pool »). Association de banques pour la réalisation d'un crédit ou d'une opération bancaire. On dit: *Des crédits consortiaux*. (Voc. de l'Économie et des Finances. J.O. 3 janv. 1974.)

CONTENEUR (Angl. « container »). Récipient pour le transport de produits divers, liquides ou non. (Voc. du Pétrole. J.O. 12 janv. 1973.)

CONVENTIONNEL. Traduit de l'anglais « conventionnal », fréquent aujourd'hui, à proscrire pour la clarté de la communication, au sens de « classique » ou « traditionnel ».

En français, est *conventionnel* ce qui résulte d'une convention, c.-à-d. d'un accord: *Une cause conventionnelle*, par ex., ou encore ce qui est conforme aux conventions. On parlera par ex. du *jeu conventionnel* d'un acteur, d'une formule de politesse ou d'un *langage conventionnel*, c.-à-d., et suivant le cas, figé, de pure forme, qui ne vient pas du cœur, qui n'est pas spontané.

Parler d'« équipements ou d'armements conventionnels » au lieu d'« équipements ou d'armements classiques, traditionnels », par opposition à « équipements ou armements atomiques », c'est commettre un anglicisme et créer une certaine confusion.

Conventionnel, employé avec le sens qu'il a en anglais « classique », n'est pas condamné parce qu'il s'agit d'un anglicisme (« conventionnal »), mais parce que son sens d'emprunt, se superposant au sens français, crée un risque de confusion entre deux notions différentes.

CONVENU (*être* ou *avoir*). Question souvent posée depuis une dizaine d'années.

La *tradition* distingue entre *être convenu*: reconnaître la vérité (*Il est convenu de sa méprise*), ou faire un accord (*Nous sommes convenus de nous revoir demain*); *avoir convenu*: être approprié ou plaire (*Cet emploi lui aurait convenu.*)

En revanche, *l'usage contemporain* courant tend encore à employer « avoir » dans tous les cas. La distinction traditionnelle est cependant maintenue dans une langue recherchée, ainsi que dans le style administratif ou diplomatique.

On peut simplement distinguer: *convenir de* (avec « être »: *Tomber d'accord*) et *convenir à* (avec « avoir »: *Être approprié à*).

COORDONNATEUR, COORDINATEUR. Coordonnateur: Ce mot, depuis longtemps consacré par l'usage, figure dans la première édition du Dictionnaire de Littré (1863) et toutes celles qui ont suivi.

À préférer à **coordinateur**, d'origine récente (1955), emprunté à l'anglais, « to coordonate », et qui ne figure guère dans les dictionnaires.

COTE, COTATION. La **cotation** (action de coter) et la **cote** (qui en résulte) sont normalement en usage à la Bourse. Ne pas parler du « fixing » (de l'or), par ex. À noter que le terme *décote*, qui jusqu'ici appartenait au voc. fiscal pour désigner une exonération appliquée à une contribution, est en train de s'introduire dans le domaine boursier pour signifier une perte de valeur de la monnaie par rapport à une devise fixe, traduisant ainsi une certaine érosion de cette monnaie. Voir **DÉCOTE**.

COUP (*sans férir*). Se méfier de cette locution.

Sens originel: « Sans user de violence », « sans combattre » (*férir* signifie *frapper*).

Sens moderne: « sans difficulté ».

L'acception première demeurant, le contexte peut rendre ambiguë l'expression. En effet, dire par ex.: *Les forces turques ont envahi le Nord de Chypre sans coup férir*, laisse entendre qu'il n'y a pas eu de victimes... ce qui n'était pas le cas.

COUPER (*quelqu'un*). Négligence de style à ne pas employer dans un langage soutenu. Dire *couper la parole de...* ou *interrompre quelqu'un...*

CRÉDIT-BAIL (Angl. « leasing »: location). Inusité au pluriel. Location (avec possibilité d'achat), par mensualités, d'un bien d'équipement, par l'intermédiaire d'une société à caractère financier qui s'interpose entre le constructeur et l'achat. Ex.: *Une société peut acheter des locaux en* crédit-bail.

Location-vente, même définition que pour le crédit-bail, avec cette différence qu'il n'y a pas d'intermédiaire entre le constructeur et l'acheteur. C'est la formule de vente envisagée pour le « Concorde » (1973). Voir **LOCATION-VENTE**.

CRIANT, CRIARD. À ne pas confondre.

Criant: ce qui suscite la protestation (*injustice criante*).

Criard: qui choque désagréablement l'oreille ou la vue (*enfant criard, tenue criarde*).

CROIRE. Après *croire*, la préposition *à* marque une adhésion de l'esprit (tenir pour réel, efficace). Ex.: *Croire* AUX *guérisseurs,* À *la Providence* ou À *mes sentiments très sympathiques.* Alors que la préposition *en* marque une disposition du cœur (*avoir confiance, compter sur*): *Croire* EN *Dieu, croire* EN *l'honneur, croire* EN *l'avenir.*

CROIRE, CROÎTRE. Quand ils sont homonymes, ces termes ne peuvent se distinguer à l'écriture que par l'accent circonflexe. Ex.: *Tu croîs en sagesse* (avec l'accent), *tu crois en la sagesse* (sans accent).

CROSS FADING. Voir **FONDU ENCHAÎNÉ**.

DAM. *Au grand dam*. Ne se prononce pas « dame », mais *dan*.

DAMNABLE, DAMNATION. Le *M* est muet. On dit *da-na-ble*, *da-na-tion*.

DANGÉROSITÉ. Néol. récent. *Caractère dangereux de quelque chose ou de quelqu'un*.

DANS LE CHAMP (*voix*). (Voc. télévision). *Voix d'une personne présente à l'écran* (en angl. voix « in »). Voir **HORS CHAMP** (« off »).

DE. Préposition précédent un nom patronymique. Voir **PARTICULE**.

DEAD-HEAT. (Voc.). (Dead: mort, heat: course, se prononce: « dèd-hit »).

Vocabulaire hippique: *course dans laquelle deux ou plusieurs concurrents arrivent en même temps*. Équivalent: *ex aequo*. Le fait est attesté par la photo d'arrivée. (Voir **PHOTO**).

DÉBATTRE est transitif. Ex.: *On débat une question* (et non « d'une »).

DÉBOUCHER SUR (Voc.). Cliché banal, préférer le mot *aboutir*. Ex.: *Les conversations ont abouti à un accord*, au lieu de « ont débouché sur un accord ».

DÉBUTER (gram.). **Débuter** et **démarrer** sont *intransitifs*. On dira: *L'émission débutera par telle chanson* (et non: « telle chanson débutera l'émission »).

DÉCADE (Voc.). *Période de dix jours*. Ne pas confondre avec « décennie », *période de dix ans*, terme recommandé par l'Acad.

DÉCELER. *Découvrir, mettre en évidence*. Se prononce *dé-slé*. Ne pas confondre avec **desceller**, qui se prononce *dé-sé-lé*.

DÉCENNIE. *Période de dix ans*.

DÉCIDER. Après *décider* la préposition *A* est plus fréquemment employée que la préposition *DE*. On dit: *Je suis décidé* À *partir* ou *il l'a décidé* À *partir*, mais on dira, s'il s'agit de la même personne, pour les deux verbes, à la voix active: *Il décide* DE *partir*.

DÉCISION (*faire la*). Expression sportive qui ne figure pas dans les dictionnaires, fréquemment employée. Signifie: *Prendre un avantage décisif sur son adversaire*. Ex.: *C'est un peu avant le repos que les Nantais devaient faire la décision*.

DÉCLARATION DE REVENUS, et non « déclaration d'impôts ».

DÉCONNEXION. Nom féminin français (anesthésiologie). Écrire ce terme à la française et non pas à l'anglaise (« deconnection »).

DÉCOTE. Nom féminin qui jusqu'ici appartenait au vocabulaire fiscal pour désigner *une exonération appliquée à une contribution*; est en train de s'introduire dans le domaine boursier pour signifier *une perte de valeur de la monnaie par rapport à une devise fixe*.

DÉCRISPATION. Néologisme à la mode, signifiant *détente*.

DE FAÇON QUE, DE MANIÈRE QUE, et non pas « de manière à ce que ».

DE FACTO. Mot latin qui s'écrit sans accent, mais se prononce *dÉ facto*. Voir **MOTS LATINS**.

DÉFENDEUR (voc. juridique). *Personne contre laquelle est engagée une action en justice.* Alors que **défenseur** est *l'avocat chargé des intérêts du défendeur ou de l'accusé.* (Voir **DEMANDEUR**.)

DÉFICIT. Se prononce *dé-fi-citt.*

DÉFLATION. *Blocage ou ralentissement de la hausse des prix lorsque la situation est inflationniste.*

DÉGINGANDÉ. Se prononce *dé-jin-gan-dé* conformément à l'orthographe et non « dé-guin-gan-dé ».

DEGRÉ CELSIUS (*Centigrade*). Abréviation: °C. Ex.: *17,5°C.*

DEGRÉ D'ALCOOL. Est indiqué par ° après le chiffre principal. Ex.: *11°5 d'alcool.*

DE JURE. À prononcer *dÉ jurÉ* et non « de jure ». Voir **MOTS LATINS**.

DEMANDEUR. (Voc. juridique). *Personne qui entreprend une action en justice.* Voir **DÉFENDEUR**.

DÉMARRER. Verbe intransitif. *Une voiture démarre*, mais « un conducteur ne la démarre pas », *il la fait démarrer.* Erreur analogue avec **DÉBUTER**.

DÉMYSTIFIER. *Mettre fin à une mystification, détromper.*

DÉMYTHIFICATION, DÉMYTHISATION, qui est conseillé: *Fin d'un mythe.*

DÉMYTHIFIER. (Dérivé de mythe). *Enlever à quelqu'un ou à quelque chose son caractère de mythe.* Ex.: *Un critique a voulu démy-*

thifier le personnage de Chateaubriand. Ne pas confondre avec **DÉMYSTIFIER**. Voir ce mot (sens voisin).

DÉMYTHISER. Synonyme de **démythifier**. À lui préférer afin d'éviter la confusion fréquente avec **DÉMYSTIFIER**.

DÉNÉBULER. *Dissiper artificiellement le brouillard.* Ex.: *Une zone dénébulée.*

DÉODORANT. Anglicisme discuté, mais d'usage publicitaire très courant pour désigner les produits de parfumerie appliqués aux soins corporels, par opposition à **désodorisant**, produit de droguiste qui supprime les mauvaises odeurs d'une pièce. L'Académie refuse « déodorant », parce que mal formé, et recommande *désodorisant* ou *désodorant* qui connaît aujourd'hui une certaine faveur.

DÉPARTIR (*accorder*), **SE DÉPARTIR** (*se séparer*). Tous les deux se conjuguent comme **PARTIR**.

DÉPLAIRE (SE) (gram.). Le participe passé est invariable. Ex.: *Ils se sont déplu.*

DÉPOSER UNE PLAINTE. (Voc.). On ne « dépose pas plainte », mais *on porte plainte* ou *on dépose une plainte.*

DÉPRÉDATION. Attention au lapsus qui fait dire parfois qu'un immeuble a subi de graves *dépradations* au lieu de *déprédations* (confusion, sans doute, avec « dépravation »).

DÉPRESSION (*nerveuse*). (Voc.). Équivalent français de « breakdown ».

DEPUIS (gram.). Préposition de temps qui se substitue couramment à *DE.* À tort. On devrait dire: *Emission transmise* DE *Londres, je regardais* DE *mon balcon* et non: « depuis Londres, depuis mon balcon ». Préférer *en direct de New York* à « en direct depuis New York ».

DÉRIVATION. Terme recommandé par la Commission de terminologie médicale. Équivalent de « by pass ».

DÉROULER (SE). (Voc.). Mot passe-partout abusif. Ex.: « La réunion se déroulera à Paris ». Mieux vaudrait dire: *La réunion aura lieu* ou *se tiendra à Paris.*

DESCELLER. *Défaire ce qui est scellé, détacher ce qui est fixé dans la pierre.* Se prononce *dé*-SÉ-*lé* et non « décEler ». Voir ce mot.

DÉSESPÉRER QUE + subjonctif. Ex.: *Je désespère qu'elle vienne.* Mais on dira: *J'espère qu'elle viendra* (affirmatif).

DESIGN (« di-zaïn »). Mot angl. 1960. *Discipline visant une harmonisation esthétique de l'environnement humain, depuis la conception des objets usuels et des meubles jusqu'à celle de l'urbanisme. Style fonctionnel et manière nouvelle de vivre.*

DESIGNERIE (*di-zaï-ne-ri*). *magasin ou l'on vend des objets de design.*

DÉSORDRE (*dans le*). Voc. hippique. Tournure impropre et illogique. Mieux vaut dire: *Dans un ordre différent.*

DÉSUET. Se prononce *déssuè* (S sifflant) et non « dé-zuè ».

DÉTOXIFICATION, DÉTOXIFIER. Barbarismes parus dans la publicité de presse (pour *désintoxiquer, désintoxication*) 1976.

DÉTRITUS. Prononcer le S final: *détritu*ss (et non « détritu »).

DEUXIÈME. Abréviation: 2e (et non « 2ème »). Voir **SECOND.**

DE VISU. S'écrit « de » sans accent, mais se prononce *d*É *visu.* Voir **MOTS LATINS.**

DIFFÉRENT (*ordre*). Voc. hippique. À employer à la place de « dans le désordre ».

DIKTAT. Allemand. La consonne finale se prononce *dik-tatt*.

DILEMME. (Pron.: *di-lèmm*). Impose une seule et même conclusion à deux hypothèses contradictoires, au contraire d'« alternative ». Ex.: *Qu'il se présente ou qu'il s'abstienne, il ne sera pas élu.*

DILIGENTER. (Voc.). Mot ancien repris par l'usage (transit). *Exhorter au zèle, presser* ou *se diligenter* (pronominal): *se montrer soigneux, prendre ses précautions.*

DIMENSION (Voc.). Au sens *d'importance, ampleur*, n'a rien de condamnable en soi. Usage fréquent. (Ex.: *La dimension européenne d'une décision*). Mais l'Académie française regrette que cette tournure, prenant une extension exagérée, en arrive à des formules absurdes, telle « la dimension psychique d'une maladie physique ». Mot passe-partout qui a perdu de sa précision.

DIMENSIONNER. Préférer **MESURER** ou **PROPORTIONNER.**

DIRECTEUR, DIRECTRICE. Les noms féminins ne paraissant pas correspondre suffisamment à l'autorité et au caractère officiel de la charge, on préfère dire aujourd'hui *Madame le Directeur, le Docteur, le Président, l'Inspecteur...* Toutefois on conserve le féminin pour les anciennes professions féminines: *Directrice d'école, de collège, de lycée* ou *Inspectrice du travail*, ou pour désigner l'épouse d'un ambassadeur, préfet, général...

DISCOUNT. Mot anglais signifiant *remise*, *escompte*. Par extension dans le langage publicitaire: *méthode de vente avec une réduction extrême des services et de certains frais d'exploitation.* En français, il est conseillé de dire: *Réduction maxi(male)*, ou *minimarge.*

DISPATCHING. Voir équivalent **LARGAGE** (voc. milit.).

DISPLAY. (Voc. de l'informatique). Voir **CONSOLE DE VISUALISATION** ou **VISUEL.**

DISPOSER. Voir **ÉTABLIR** et **STIPULER.**

DIX (Pron.). Il en a reçu *diss* (terme final), di(*x*) *Z*'enfants, di(*x*) *Z*'hommes (devant une voyelle ou un H muet), *di* livres (devant consonne).

DOCTEUR, DOCTORESSE. « Doctoresse » n'est plus employé. On dit, *un docteur*, même lorsqu'il s'agit d'une femme.

DOMESTIQUE. Sous l'influence de l'anglais signifie *privé*, par opposition à « public », « collectif ».

DOMPTER, DOMPTEUR. *don-té, don-teur.* La prononciation du *P* n'est pas admise.

DONT (Gram.). Pronom relatif passe-partout chez les « parleurs ». Son emploi répond cependant à des règles strictes.

1. En principe *dont* ne peut dépendre d'un nom précédé d'une préposition. On dira: *X. du procès de qui c'est aujourd'hui la deuxième journée*, plutôt que « X. dont c'est aujourd'hui la deuxième journée du procès », forme qui semble cependant s'imposer à l'usage (car la première est lourdement articulée).

2. *Dont* ne peut introduire une relative qui renferme un adjectif possessif en rapport avec l'antécédent. On dira: *un drame sur l'issue duquel on s'interrogeait* (et non « un drame dont on s'interrogeait sur *son* issue »).

DOPAGE. n.m. Équivalent de « doping ». *Procédé destiné à augmenter le rendement général d'un individu.*

D'OÙ (Gram.). **DONT** avait à l'origine le même sens que **D'OÙ** (adverbe de lieu). Ce n'est pas le cas aujourd'hui (sauf dans les expressions figurées, ex.: *La famille dont il descend*). On dira donc: *Moscou d'où il vient de rentrer* (et non: « Moscou dont il vient de rentrer »).

DROPPING, DROPPING ZONE. Voir **LARGAGE**.

DRUGSTORE. Terme admis aujourd'hui en français. Nom masculin. Prononcer *dreug-store. Magasin à vocations multiples.*

DUOPLAY (Voc.). Voir **ENREGISTREMENT FRACTIONNÉ**.

DUTY FREE SHOP. (Voc.). Équivalent: **BOUTIQUE FRANCHE** (comme on dit *port franc, zone franche*).

DYNAMISEUR. *Qui donne de l'énergie, du dynamisme.*

E, É,..., È. (Pron. des sons). Voir Annexe.

EAU DE ROSE (Orth.). Sans trait d'union.

EAU-DE-VIE. (Orth.). Avec trait d'union.

ÉCRIRE (S'). Le pronom réfléchi a ici fonction de complément d'attribution. Le participe passé s'accorde donc comme si l'auxiliaire était **avoir** avec le complément d'objet direct, à condition que celui-ci soit placé avant le verbe. Ex.: *Elles se sont écri*T *des lettres, les lettres qu'elles se sont écrit*ES.

ÉCRIVAIN-NÉ. L'adjectif *NÉ* se joint par un trait d'union à certains mots qu'il caractérise. Pluriel: *Des écrivains-NÉS*. (Voir **NÉ**).

EDIMBOURG. Les noms propres étrangers connus de longue date en France sont traités comme des noms français. On prononce donc: *É-din-bour* (et non « Edinburgh, Edimburg », à l'anglaise).

EFFECTUER. Mot passe-partout trop souvent employé à la place de **FAIRE**. Ex.: « Effectuer un voyage » pour *faire un voyage*.

EFFET. Voir **IMPACT**.

ÉGAILLER (S'), ÉGAYER (S'). Verbes souvent confondus en raison d'une mauvaise prononciation. *S'égailler* signifie *se disperser, s'éparpiller* et se prononce *s'é-ga-yé* comme *empailler*. *S'égayer* (s'amuser) se prononce *s'é-gué-yé* comme *balayer*, *relayer*...

ÉLABORÉ. Trop souvent remplacé par « sophistiqué » alors qu'il est beaucoup plus précis que ce dernier, et donc à préférer. Voir **SOPHISTIQUÉ**.

ÉLOGE n. m. *Discours prononcé pour célébrer quelqu'un ou quelque chose*, ou *jugement favorable qu'on porte sur quelqu'un*. À ne pas confondre avec **APOLOGIE** ou **PANÉGYRIQUE**. (Voir ces mots.)

ÉLYSÉE. Terme d'origine gréco-latine. Au début du 16e, le poète Clément Marot lui donne le sens de « lieu de délices où séjournaient, après la mort, les âmes des héros et des sages ». Le terme prenait alors une majuscule. Au 19e siècle, Gérard de Nerval lui fait désigner un « lieu agréable où il fait bon se détendre » (des élysées champêtres) ». Aujourd'hui, *Palais... d'élection*, qui a retrouvé sa majuscule!

EMBALLAGE (S'EMBALLER). *Effort décisif d'un coureur cycliste, en fin de course, terminé par un sprint. L'emporter à l'emballage*. Voir **FINISH**.

ÉMINENT. (Voc.). *Supérieur, remarquable*. Ex.: *Un éminent professeur*. Ne pas confondre avec « imminent ».

ÉMOTIONNER (ÉMOUVOIR). Terme familier, très souvent relevé à l'écoute. Lui préférer le mot **émouvoir**.

EMPORTER (L') SUR. Traduction française de l'anglicisme « to get the better of somebody », qui a été maladroitement traduit par « prendre le meilleur sur ». Préférer *l'emporter sur*.

EN. (Gram.). Une faute très fréquente consiste à employer *EN* dans une subordonnée introduite par *DONT* (pléonasme syntaxique). Ex.: « Le roman dont il *en* a dit le plus grand bien ». À éviter.

EN (liaison). Prononc. Liaison correcte parce que naturelle entre mots invariables monosyllabiques et le mot qu'ils modifient, donc: *Il marche en‿arrière.* Entre le verbe et *EN*, la liaison marque généralement le pluriel. Ex.: *Il marche en mesure, ils marchent‿en mesure.*

EN AUTO, EN AVION (Gram.). Voir **À VÉLO, À SKI, À MOTO.**

ENCERCLER. Voir **ASSIÉGER** et **INVESTIR.**

ENCOURAGER. Équivalent français du terme sportif franglais « supporter ». On ne dira pas: « Mme X. s'est rendue dans notre ville pour y supporter son mari » (!), mais *Mme X. s'est rendue dans notre ville pour y encourager son mari.*

ENGAGER (S'), SE PROPOSER DE. Ex.: *Ils se sont engagés* À *les aider; ils se sont proposés* DE *les aider.*

ENNUYANT, ENNUYEUX. (Voc.). L'adjectif « ennuyant », vieilli et régional, n'est pas à recommander. Mieux vaut dire: *ennuyeux.*

ENREGISTREMENT FRACTIONNÉ. Voir **FRACTIONNÉ.**

ENREGISTRER. On doit dire *enr'gis-tré* et non « enrÉgistrer » ou « enrEgistrer » (mais on dira: « un registre »).

ENTHOUSIASME. Trop souvent prononcé « enthousiaZme », par mollesse. Doit se prononcer *an-tou-zi-assme.*

ENTRER, RENTRER. Ces verbes ont deux sens distincts et ne sont confondus que dans la langue relâchée. **Rentrer**, c'est *entrer de nouveau.* On dit: *Les joueurs vont* ENTRER *sur le terrain pour disputer la* *finale de la Coupe*, mais *les joueurs ne rentreront sur le terrain qu'après la mi-temps.*

ENVAHIR. Voir **INVESTIR**.

ÉPIGRAMME. *Petit poème satirique*. À ne pas confondre avec **ÉPITAPHE**. Voir ce mot.

ÉPIGRAPHE. *Citation placée en tête d'un livre, d'un chapitre ou sur un édifice*. Ne pas confondre avec **exergue**.

ÉPITAPHE. *Inscription funéraire*. Souvent confondu avec **épigramme**.

ÉPOPÉE. *Suite d'événements de caractère héroïque et sublime*. On ne peut donc dire « l'épopée des terroristes s'est mal terminée », à moins que l'on ne veuille marquer son admiration pour ce genre d'entreprise.

ÉPREUVE (*de tournage*). (Voc. de l'audiovisuel). Tradution de **RUSH**.

ÉQUILATÉRAL. Prononciation *é-kui-la-té-ral*.

ÉQUITÉ. Prononciation *é-ki-té*.

ERREMENT. Ne pas confondre avec **erreur. Errement** vient de *errer* et signifie *manière d'agir, démarches habituelles* (latin: iterare), et non pas « erreur » ou « opinion contraire à la vérité » (latin: errare).

ÉRUPTION (Voc.). *Sortie avec soudaineté et violence: Une éruption volcanique*. Ne pas confondre avec **IRRUPTION**.

ESPÈCE. (Gram.). Est *toujours féminin* même s'il est suivi d'un nom masculin. Ex.: *Une espèce de festival*, et non « un espèce de festival ».

ESPÉRER *(que)*, (*Ne pas* **ESPÉRER** *que*). Est suivi de l'indicatif: *J'espère qu'elle viendra* ou du conditionnel: *J'espérais qu'elle viendrait* (mais *jamais* du subjonctif). **Ne pas espérer que**, en revanche, est suivi du subjonctif: *je n'espère pas qu'elle vienne.*

ESSAIS, ESSAI FINAL. (Voc. sportif). Équivalents français de *descente* **NON STOP**. Voir ce mot.

ESSENCE. Voir **PÉTROLE**.

ET. La liaison est incorrecte après la conjonction **et**. On dira donc *une fille et // un garçon.*

ÉTABLIR. *La loi établit ou dispose que...* et non « la loi stipule que... ». Voir **STIPULER**.

ÉTHER. Voir **PÉTROLE**.

ÊTRE + **attribut** (liaison). La liaison est correcte entre le verbe **être** et l'attribut. On dira donc: *Ces tableaux sont‿abstraits, la guerre est‿imminente.*

ÊTRE OBLIGÉ *(DE)*. Voir **OBLIGER** *(À)*.

ÉTUDE DES MÉDIAS. (Publicité) n.f. *Étude des moyens généraux de publicité, c'est-à-dire des groupes de supports publicitaires de même nature.* (Syn.: *Etude des moyens*). Ex.: *La radio, la télévision* et non telle station, tel journal (supports). Le pluriel latin *media* a été francisé par la Commission de terminologie de l'audiovisuel. Voir **MÉDIA**.

ÉTUDIER. Mieux vaut dire simplement: *Ils ont étudié ou examiné la question,* plutôt que d'employer le cliché **SE PENCHER SUR**. (Voir ce mot.)

ÉVANOUISSEMENT. (Tech. radio) n.m. *Diminution momentanée de la puissance d'une onde radioélectrique au point de réception pouvant aller jusqu'à sa disparition totale.* (En angl.: « Fading »).

ÉVÉNEMENT. *Événement* s'écrit avec deux accents aigus, mais le second se prononce paradoxalement comme s'il était grave: *É-vènn'man.*

ÉVOQUER, INVOQUER. Deux verbes composés avec des préfixes différents à partir d'un même radical (d'où la confusion), mais de sens bien distincts.

Évoquer (employé actuellement à tort et à travers dans le sens de « mentionner »). Signifie: *Faire apparaître par magie*, puis *rappeler à la mémoire.* On ne peut donc *évoquer* que des *faits passés.* Il est correct de dire: *On évoquera le souvenir de quelqu'un*, mais il est impropre de dire: « Le Ministre a évoqué la réunion de demain ».

Invoquer: C'est *demander l'aide de quelqu'un ou de quelque chose.* Ex.: *Invoquer l'article 15 de la Constitution.*

EXACTION. Ce mot signifie: *Action d'exiger ce qui n'est pas dû* ou *plus que ce qui est dû* (le verbe correspondant est **exiger**: *Les fermiers se plaignent des exactions des intendants*). C'est donc une flagrante impropriété que de l'employer au pluriel, au sens de: « Excès de toute sorte », « violence », « déprédation », et de dire que « les exactions des terroristes ont fait soixante-quatre morts ».

EXCESSIVEMENT. À ne pas confondre avec « extrêmement ». *Il est excessivement bon.* Signifie: Il est bon à l'excès, beaucoup trop. *Il est extrêmement bon*, signifie: Il est très bon.

EXCITER. Familier et impropre dans l'exemple suivant: « Qu'est-ce qui vous excite dans ce programme? ». Mieux vaut dire: *Qu'est-ce qui vous intéresse?, qu'est-ce qui vous plaît?*

EXCUSE. Se prononce *eks-cuse* et non « eSS-cuse ».

EXEMPLAIRE. Outre le sens laudatif: *qui peut servir d'exemple* (*une mère exemplaire*) signifie aussi: *qui doit servir d'avertissement, de leçon, qui doit effrayer par l'exemple* (*un châtiment exemplaire*).

EXEMPLIFIER. D'*exemple*, formé d'après les verbes en **fier** (notifier, etc.) signifie : *Illustrer d'exemples.*

EXEMPTER, EXEMPTION. Le *P* ne se prononce pas dans *èg-zan-té*, mais on dira *èg-zamP-sion.*

EXERGUE. *Dans une médaille, espace réservé à une inscription*, ou par extension *l'inscription elle-même.* Ne pas confondre avec **épigraphe**. Voir ce mot.

EXFOLIATION (Voc. dermatologie). Équivalent français du mot « peeling », ou *nettoyage de la peau.*

EXHORTATION. n.f. *Discours qui s'efforce de persuader.* On parle de l'exhortation : *Enrichissez-vous*, et non de l'« exorde » : « Enrichissez-vous ». **EXORDE**. n.m. *Première partie d'un discours, entrée en matière, préambule. Cet exorde, vivement applaudi, présageait bien de la suite.*

EXPÉDITION. *EKs-pé-di-sion* (et non « eSpédition »).

EXPLOIT. *EKs-ploi.*

EXPOMARCHÉ. n.m. Désigne déjà à Bruxelles un bâtiment d'exposition permanente des produits mis à la disposition des acheteurs professionnels : Fabricants, importateurs, grossistes et grands distributeurs (angl. « trade mart »).

EXPORTATION. *EKs-portation.*

EX-ROI (pron.). *EX-roi* (non pas « exE-roi »).

EXTRÊMEMENT. Voir **EXCESSIVEMENT**.

EXTRÉMITÉ. On écrit une *extrÉmité* avec un accent aigu, alors qu'*extrême* s'écrit avec un accent circonflexe.

FACE À FACE. Sans trait d'union. Voir **TRAIT D'UNION**.

FAÇON (*de toute*). S'écrit toujours au singulier.

FACTORING. Voir **AFFACTURAGE**.

FADE IN. (Voc.). Voir **OUVERTURE (EN FONDU)**.

FADE OUT. Voir **FERMETURE (EN FONDU)**.

FADING. Voir **ÉVANOUISSEMENT** et **FONDU**.

FAIRE (*Se*) + **infinitif**. Le participe passé de **se faire** est toujours invariable *devant un infinitif*. Ex.: *Elle s'est fait maigrir*.

FAIRE LONG FEU. *Se dit d'une arme dont le coup est long à partir ou ne part pas* (amorce mouillée). Sens figuré: *Exprime soit une idée de longue durée, soit une idée d'échec: Ne pas faire long feu*, ne pas durer longtemps.

FAIRE PREMIER, DEUXIÈME. Incorrect. Dire: *Il est premier* (et non « il fait premier »).

FAIR PLAY. Voir **FRANC-JEU**.

FAISABILITÉ. n.f. Néol. récent. *Caractère de ce qui est possible ou qu'il est raisonnable d'entreprendre*.

FAIT. En général le *T* final n'est pas prononcé: *Le fai(t) prouve que*... Cependant, il y a des exceptions notamment lorsque **fait** est suivi d'une pause réelle ou virtuelle: On dit presque toujours *en faitt, au faitt, c'est un faitt* et on fait la liaison: *Le fait‿est que*.
Au pluriel, le *T* final ne se prononce pas: *Voilà les fai(ts)*.

FALLOIR (*Il faut que*) + **subjonctif**: *Il faut qu'il vienne*. Attention à la confusion entre « ce qui » et *ce qu'il*. Avec **falloir**, il faut toujours *ce qu'il: Vous ferez tout ce qu'il faut*.

FEATURES. (Voc.). Voir **VARIA(S)**.

FÉBRILES (*Capitaux*). *Capitaux cherchant de place en place, en période de crise, la plus-value maximale dans le minimum de temps.* (Angl.: « hot money »).

FEEDER. Voir équivalent **COAXIAL**.

FEEDING. (Voc.). Préférer l'équivalent français *alimentation.*

FERMETURE (EN FONDU). n.f. *Disparition progressive de l'image*. Syn.: *Fondu au noir*. (Angl.: « fade out »).

FETER. On ne peut « fêter un sanglant anniversaire », **fêter** comportant une idée de réjouissance, on le *célèbre*, comme on *commémore les massacres de la Saint-Barthélémy.*

FINALE. n.m. *Dernier morceau d'un opéra ou d'une symphonie*, par opposition à « ouverture ». Ex.: *Le finale du Don Juan de Mozart.*

FINIR DE, FINIR PAR. Sens modifié selon les prépositions. **FINIR DE**: Terminer quelque chose (*J'ai fini de travailler*). **Finir par:** En arriver à (*J'ai fini par travailler*).

FINISH. (Voc. sportif). On dira en français: *À l'arraché*. Le vocable français *l'emporter à l'arraché* est expressif et imagé. En cyclisme, on a longtemps employé une tournure colorée: *L'emporter à l'emballage* (du verbe *s'emballer*), qui semble aujourd'hui disparu.

FIXING. Voir **COTE**. (Bourse).

FLASH BACK. Voir **RETOUR EN ARRIÈRE, RÉTROSPECTIF**.

FLOTTAGE, FLOTTAISON, FLOTTATION. Voir **FLOTTEMENT**.

FLOTTEMENT. Rappelons que l'Académie française a adopté **flottement** (*d'une monnaie*) et non « flottage », « flottation » ou « flottaison », « fluctuation », ayant un autre sens. **Flottement** désigne *les monnaies sans parité fixe*. Verbe: **Flotter**. (Voir **FLUCTUATION**).

FLUCTUER, FLUCTUATION. Ces termes servent à désigner *des mouvements de plus faible amplitude que* « flotter », « flottement ». Une monnaie à parité fixe peut **fluctuer**. Une monnaie sans parité fixe est appelé à *flotter*.

FLUX (Pron.). Prononcer *Flu.*

FOIS QUE (*une*). (Gram.). Voir **APRÈS QUE**.

FONCIER (*entraînement*). (Voc.). Voir (*entraînement de*) **BASE**.

FONDU. n.m. (Cinéma et télévision). *Apparition ou disparition progressive de l'image.* (Angl.: « Fading »). Voir **OUVERTURE** (en fondu), **FERMETURE** (en fondu).

FONDU. n.m. (*Son et télévision*). *Abaissement volontaire et progressif du niveau du signal son ou image jusqu'à l'annulation.* (Angl.: « shunt »).

FONDU AU NOIR. Voir **FERMETURE EN FONDU**.

FONDU ENCHAÎNÉ. n.m. *Effet ou une image se substitue progressivement à une autre* (qui s'efface). (Angl.: « cross-fading »).

FORCING. *Toute l'équipe fait le forcing*: c'est-à-dire qu'elle déploie toutes ses énergies pour vaincre l'adversaire. Ce terme sportif s'est infiltré dans la langue politique et même dans l'usage courant. Regrettable.

FORT. (Pron.). Liaison correcte entre l'adverbe **fort** et le mot qu'il modifie. Ex.: *Il est fort‿accueillant.*

FRACTION. (Accord du verbe après les fractions). Après les **fractions** au pluriel (3/4; 2/3), le verbe s'accorde toujours au *PLURIEL: Les 3/4 des députés ont assisté au débat.*

Cependant quand le terme collectif désigne une fraction au sing.: (*1/3, 1/4*), ou une quantité numérale (*cinquantaine, douzaine, moitié*):

— S'il a son *sens strict*, l'accord se fait au *sing.* Ex.: *Une douzaine d'œufs est nécessaire à cette préparation.*

— S'il a un *sens approximatif ou figuré*, l'accord se fait au *pluriel.* Ex.: *Une centaine d'invités se sont pressés à l'inauguration; la moitié des téléspectateurs ont apprécié cette émission.*

FRACTIONNÉ (*enregistrement*) (ou **FRACTIONNÉ**). n.m. (Technique son). *Procédé qui consiste à enregistrer séparément les diverses sources sonores devant faire partie d'un enregistrement définitif.*

— *Surimpression*: Enregistrement fractionné consistant à ajouter un nouveau signal sur une piste déjà enregistrée.

— *Réenregistrement*: Enregistrement fractionné consistant à ajouter des signaux par recopie et mélange sur une nouvelle piste. (En angl.: « Rerecording », « multiplay-back », « multiplay », « duoplay »).

FRANC. Unité monétaire de la France, dont le symbole est F (majuscule). On écrira 10 *francs* (f minuscule) ou *10 F* par abréviation. Mais le symbole du franc international est FF pour le distinguer du franc belge (FB) et du franc suisse (FS).

FRANÇAIS. Prononcer *fran-cè* (et non « francé »).

FRANCHISAGE. *Contrat par lequel une société concède à une autre, moyennant redevance, le droit de vendre sous sa raison sociale* (Angl.: « franchising »).

FRANC JEU. n.m. *Acceptation loyale des règles d'un jeu, d'un sport, etc.* (En angl.: « fair-play »).

FRELATÉ. Voir **SOPHISTIQUÉ**.

FRET. Prononcer *FRAI* (et non « Frett »).

FRÉTER. Voir **AFFRÉTER**.

FUEL LOURD (*ou industriel*). Voir **PÉTROLE**.

FUEL OIL. Voir **PÉTROLE**.

FUTURIBLES. n.m. pl. Néol. récent. *Futurs possibles*.

GAGEURE. Se prononce *ga-jur*.

GALLES (*Pays de*). (Voc. sportif). On ne devrait pas dire: « La victoire de France sur Galles », mais *la victoire de la France sur le Pays de Galles*.

GALLIENI. S'écrit *E* sans accent, mais se prononce *Gali*É*-ni* (origine italienne).

GARDEN-CENTER. Voir **JARDINERIE**.

GAS-OIL. Voir **PÉTROLE**.

GAUCHE. Prononcer *gô-che* (et non « goche »).

GAULLE (*de*). Prononcer *le Général de* GAU*lle* (*ô*) et non « le Général de G*o*lle ».

GAZODUC. *Canalisation pour le transport du gaz*.

GAZOLE. Voir **PÉTROLE**.

GÉNÉRALISTE. Voir **MÉDECIN** (*généraliste*).

GÉNÉRER. (Voc. techn.). Néol. *Concevoir, articuler, créer.*

GEÔLE, GEÔLIER. Se prononcent *jôle* et *jôlier*.

GÉRARDMER. Se prononce *gé-rar-mé*.

GESTION. Prononcez *ges-tion* (et non « gession » par mollesse).

GIPSIE. Les piles, qui alimentaient jusqu'ici les stimulateurs (cardiaques ou respiratoires), ont été remplacées par un générateur nucléaire, baptisé **gipsie**, formé des initiales de *Générateur Isotopique Pour Stimulation Implantable Électrosystolique.*

GÎTE. Subst. *Donner de* LA *gîte* signifie pour un navire: *S'incliner sur un bord.* Ne pas confondre avec *le* gîte: Habitation, ou *le* gîte: Partie inférieure de la cuisse du bœuf.

GLOBALISTE. Voir **MÉDECIN** (*globaliste*).

GN (*groupe*). Le *G* du groupe *GN* se prononce dur dans *ma*G*nat, a*G*nostique, i*G*né, i*G*nifugé, inexpu*G*nable, sta*G*nation*, etc. En revanche, le G se mouille dans: « magnolia » (*ma-nio-lia*), « magnificence » (*ma-gni-fi-cence*).

GOUPIL (*Renard*). La consonne finale ne se prononce pas: *Goupi* (1).

GOÛT. Ne pas oublier l'accent circonflexe.

GRADATION, GRADUATION. Graduation: Progression par degrés successifs et insensibles. Ex.: *La gradation des efforts.* Ne pas confondre avec **graduation**, qui désigne les divisions en degrés et les degrés eux-mêmes. Ex.: *La graduation du thermomètre.*

GRAMMAIRE. Attention à la tendance à prononcer séparément les consonnes doubles! On dit *gra-mair* (et non « gram-mair »).

GRÊLE, GRÊLER, GRÊLE. **Grêle** se prononce normalement *grèl*, mais le verbe **grêler** et l'adjectif **grêle** se disent *grélé*.

GRÊLON. Prononciation *grÈ-lon*.

GRELOT. Prononciation *gre-lot*.

GRIL. La lettre *L* ne se prononce pas: *Gri(l)*.

GROS PLAN. (Voc. télévision). n.m. Équivalent de l'anglais « close up ».

GROUPE. (Voc. général). n.m. Équivalent recommandé de « pool ». Multiples acceptions selon les cas: *Groupe (de travail), atelier (de dactylos), équipe (de journalistes), communauté (charbon-acier)*.

H *aspiré*. *H* (dit *aspiré*) joue le rôle d'une *consonne*: Il empêche donc toute liaison avec le mot précédent. Rappel de quelques termes sur lesquels on hésite parfois: *Haïplong, Hué, Hanoï, handicaper, handicapé, hareng, haricot, homard, hasard (à tout//hasard), hauteur, heurt(er), hisser, Hollande, hors (c'est//hors de prix), huer, (les délégués furent//hués), havre...*

H *muet*, avec liaison. Ex.: *Haïti (les habitants d'), hectare, hectolitre...*

HABITAT. Désigne d'abord le milieu géographique réunissant les conditions nécessaires à l'existance d'une espèce animale et végétale, puis les modes d'organisation et de peuplement par l'homme du milieu où il vit: *Habitat rural, urbain; habitat sédentaire ou nomade*.

Aujourd'hui, néologisme d'ailleurs discuté, ce mot désigne *des conditions d'habitation, de logement.* Ne pas confondre avec **HABITATION** (glissement de sens abusif dénoncé par l'Académie française).

HABITATION. *Lieu ou l'on habite, demeure, domicile, etc.* Ex.: *Un groupe d'habitations, changer d'habitation* (et non d'habitat), *locaux à usage d'habitation* (opposé à commercial).

HAPPENING. Voir **IMPROMPTU,** spectacle où la part d'imprévu et de spontanéité est essentielle.

HARDWARE. Voir **MATÉRIEL.**

HECTARE. Symbole = ha (h minuscule sans point final, invariable).

HECTOLITRE. Symbole = hl (h minuscule sans point final, invariable).

HÉMISPHÈRE. n.m. On dit *une sphère*, mais *un hémisphère.*

HERMON (*Mont*). Se prononce *le Mont Hermon* (et non « Hermonn »), selon la prononciation française traditionnelle.

HERTZ. Symbole Hz (H majuscule, car nom de personne à l'origine, sans point final, invariable).

HEXAGONE. (O ouvert): *Eg-za-gonn* (et non « gône »).

HIATUS (aspiré ou non). Presque tous les auteurs recommandent l'élision et donc la liaison: *l'iatus.* Mais deux ouvrages récents, dont le *Petit Robert*, signalent l'aspiration du *H* sans toutefois la recommander.

HIBERNANT, HIVERNANT. Hibernant, (Verbe **hiberner**). Caractérise les animaux pratiquant l'hibernation. Ne pas confondre avec **hivernant**, néologisme désignant les touristes d'hiver (par opposition aux estivants de l'été), verbe **hiverner**.

HIER SOIR. Pas de trait d'union.

HIT-PARADE. Préférer l'équivalent français: *Palmarès.*

H.L.M. (Gram.). Genre féminin: *Une H.L.M.* Sigle représentant une *habitation* à *loyer modéré.*

HOME-CARE. Voc. médical. Équivalent français **SOINS À DOMICILE**. Voir ce mot.

HORS CHAMP (*voix*). Voc. télévision. *Voix d'une personne absente de l'écran.* (Angl.: « Voix off »).

HOT-MONEY. Équivalent français: **CAPITAUX FÉBRILES**. Voir ce mot.

HOUSE-BOAT. Équivalent français: **COCHE D'EAU:** *Bateau aménagé en habitation d'été, circulant sur rivières et canaux.*

HOUSTON. Ville américaine (Texas), se prononce *hious-ton.*

HOVERCRAFT. Équivalent français: *Aéroglisseur.*

HUIT. Voir **DATES** et Annexes **PRONONCIATION DES ADJECTIFS NUMÉRAUX...**

HUIT (*Liaison devant*). La liaison ne se fait pas devant **huit** (sauf *dix-Z'huit, vingt'huit, trent(e) T'huit, quarant(e) T'huit...*), mais *quatre-vingt//huit, cent//huit, ils sont//huit.*

IBN SÉOUD. Traditionnellement, en français: *Ibn Séoud*, et non « Ibn Saoud » qui est la graphie anglaise.

IDÉALISME. Prononcer *i-déa-lissm* et non « idéaliZme ». Voir Annexe **MOLLESSE**.

IGNÉ. Prononcer *ig-né*. Le *G* est un *G dur* (comme celui de *magma* et de *pragmatique*). De même: *Ig-nifugé*.

IGNORER (*Vous n'êtes pas sans*). Lapsus fréquent dû à la confusion de *Vous n'êtes pas sans savoir* et de *vous n'ignorez pas*.

IMMANGEABLE. (Pron.). Le préfixe « im » se prononce *in* comme IM*buvable*, -IN*man-ja-bl'*.

IMMANQUABLE, IMMANQUABLEMENT. (Pron.). IN-*man-ka-bl'*, IN-*man-ka-ble-man*. De même: **immariable**: IN-*ma-ria-bl'* (et non « im-mariable »), **immétable**: IN-*mé-tabl*).

IMMINENT (Voc.). *Qui est sur le point de se produire; Un danger imminent*. Ne pas confondre avec **ÉMINENT**.

IMPACT. A d'abord désigné « le choc d'un projectile sur une cible ». Ce mot connaît actuellement un élargissement de sens et désigne *l'effet d'une action forte, brutale*. On parle souvent de *l'impact d'une nouvelle, d'une personnalité*. Mot à la mode dont on abuse, mieux vaudrait lui préférer: *Influence, effet, répercussion, retentissement*.

IMPARFAIT DU SUBJONCTIF (*Orth.*). Ne pas oublier l'accent circonflexe à la 3e personne du singulier. Ex.: *Qu'il aimât, qu'il fît, qu'il vînt*.

IMPARTIR (Gram.). *Donner en partage, accorder*. Se conjugue comme *finir*. Ex.: *Il lui impartit un nouveau délai*.

IMPASSIBLE. Signifie *assez maître de soi pour dissimuler une émotion.* Ne pas confondre avec **impavide**: *Qui* n'éprouve ou ne trahit aucune peur.

IMPÔTS (REVENUS). On fait *sa déclaration de revenus* (et non « sa déclaration d'impôts »).

IMPROMPTU. (Pron.). Le *P* du groupe *PT* se prononce. On dit donc *In-pron-ptu.*

IN (VOIX). Équivalent français *(voix) dans le champ.*

INCLINAISON. État de ce qui est incliné, action de pencher: *L'inclinaison de la Tour de Pise.* Ne pas confondre avec **INCLINATION.**

INCLINATION. 1. Mouvement affectif, spontané, vers un objet ou une fin: *Mariage d'inclination.* 2. Mouvement du corps en signe d'acquiescement ou de déférence: *Avec une inclination de la tête.*

INCULPÉ (PRÉVENU, ACCUSÉ). *Celui à qui l'on a notifié une inculpation parce que des charges ou des possibilités de culpabilité ont été retenues contre lui.*

Prévenu: L'inculpé (détenu ou libre) est *prévenu* quand il est *traduit* pour jugement devant un tribunal de grande instance. À noter que le prévenu peut ne pas avoir été inculpé, en cas de flagrant délit par exemple.

Accusé: L'inculpé est *accusé* lorsqu'il est *renvoyé* en Cour d'Assises par la Chambre d'accusation. (*Renvoyé*: parce que le document qui l'envoie devant la juridiction s'appelle *arrêt de renvoi*).

INDEMNE. (Pron.). *In-dem-n* (et non « in-dem »).

INDEMNISER (INDEMNISATION, INDEMNITÉ). *In-dem-niser* (et non « in-dam-ni-ser », prononciation archaïque ou régionale). De même: Indemnisation: *in-dem-ni-sa-tion*, indemnité: *in-dem-ni-té.*

INDICE DE PERFORMANCE. Équivalent français de « rating ». *Indice calculé en unités de longueur (généralement en pieds, soit 32,4 cm) d'après les caractéristiques d'un bateau.* Il permet d'évaluer ses possibilités et d'établir son handicap.

INDUSTRIE DU SPECTACLE. Équivalent français de **SHOW-BUSINESS**, abrégé de façon familière en « show-biz ».

INEXPUGNABLE (Pron.). *I-nèks-puG-na-ble.* Le G se prononce dur.

INFARCTUS. n.m. Terme à prononcer comme il est écrit, et non pas « infractus », comme on le dit parfois, par un rapprochement inattendu avec « fracture ».

INFINITIF *en* **ER** (liaison). La liaison est abusive entre l'infinitif en *ER* et le complément. On dit simplement *voter/avec conscience* (et non « voter R' avec conscience »).

INFLUENCER. Verbe transitif. Ex.: *Il a influencé ma décision.* Mais **influer** se construit avec « sur ». Ex.: *Il a influé sur ma décision.*

INFORMATIONNEL. Néol. Ex.: *Le contenu informationnel d'un texte.*

INFORMEL. Le sens attesté de **informel** relève du voc. spécialisé des Beaux-Arts: *qui ne représente pas des formes reconnaissables.* (Adj. *l'art informel* et subst. *l'informel*). **Informel**, avec le sens de *sans cérémonie,* est une anglicisme: *une réunion informelle* désigne « une réunion sans ordre du jour ».

INFORMER. En général, *on informe* DE *quelque chose* (et non « sur »), de même qu'on dit *informer les gens* QUE, en évitant « informer de ce que ». Également *on trouve le moyen* DE (et non « le moyen pour »).

INGÉNIERIE. (Voc. technique). n.f. *Ensemble des fonctions allant de la conception et des études à la responsabilité de la construction et au contrôle des équipements d'une installation technique ou industrielle.* (Équivalent français d'« engineering »).

INITIATIVE *sur l'... de* (Gram.), et non pas « À l'initiative de ». Ne pas confondre avec « À l'instigation de ».

INNOVATEUR. (Voc.). Synonyme de **novateur**. *Celui qui innove ou tente d'innover.*

INNOVATION (*novation*). *Action d'innover et résultat de cette action.* Ne pas confondre avec « novation », terme juridique.

INQUIET, INQUIÉTUDE. (Pron.). *In-kiÈ* et *in-kiÉ-tu-de.*

INSPECTEUR, INSPECTRICE. Une femme peut être *inspec*TEUR *de l'Aviation Civile* ou *inspec*TRICE *du travail.* Pour ce terme, masculin et féminin sont aussi couramment employés.

INSTANCE. Par un glissement de sens abusif, *instances* tend à prendre la place d'« autorités », « institutions » ou « organismes ». Ex.: « Les instances internationales ». Ce nouvel emploi est généralement critiqué.

INSTAR (*à l'... de quelqu'un*). (Gram.). Signifie *de la même manière que* et non « à l'opposé de ».

INSTIGATION (*à l'*) (*de*). (Gram.). On dit *à l'instigation de* et non « sur l'instigation » de. Erreur due à la confusion avec « sur l'initiative de ».

INTÉGRALITÉ, INTÉGRITÉ. Ces deux mots caractérisent l'état d'une chose qui est entière.

Intégralité est généralement réservé à des choses mesurables: *Intégralité d'un revenu, d'un remboursement,* tandis que,

Intégrité a une acception morale: *L'intégrité des juges.*

INTENTER *contre* ou *à quelqu'un* (Voc.). *Entreprendre contre quelqu'un une action en justice.* Ex.: *Intenter un procès.* Ne pas confondre avec **attenter**.

INTÉRESSER. Mot passe-partout souvent employé à tort comme d'ailleurs « concerner ». Ex.: « Les régions intéressées par la grêle ». Mieux vaut dire: *les régions touchées par la grêle.*

INTERNISTE. Voir **MÉDECIN** (*interniste*).

INTERROGATION DIRECTE. Trois formes correctes:
— Avec l'inversion du sujet et du verbe (langue soignée).
— Avec *est-ce que* qui marque l'interrogation clairement, mais un peu plus lourdement.
— L'intonation (la voix monte), forme simple et directe de l'interrogation, la plus fréquente dans la langue parlée. On évitera les vulgarismes comme: « Où c'est qu'il va? », « pourquoi c'est que vous écrivez? »...

INTERVENIR. (Voc.). Trop souvent employé à la place du terme précis. Ex.: « Un accord est intervenu » pour *un accord a été conclu.*

INTERVIEW. (Gram.). Au féminin: *Une interview*, Anglicisme courant. Certains préfèrent « entretien », dont la définition est d'ailleurs un peu différente.

INVESTIR. (Voc.). Dans le voc. militaire, ce verbe signifie seulement *assiéger, encercler une place de guerre en vue de l'attaquer.* Ex.: *Le repaire des terroristes est investi, nul ne peut s'échapper.*

L'emploi d'**investir** au sens de « prendre », « occuper » est une impropriété qui est d'autant plus à éviter qu'elle est gênante pour la communication, puisque l'on ne sait plus si la place a été enlevée ou si elle est seulement assiégée. En fait, le glissement de sens semble s'imposer de plus en plus.

INVOQUER. Demander l'aide de quelqu'un ou de quelque chose. Ne pas confondre avec **ÉVOQUER**. Voir ce mot.

IRRUPTION. (Voc.). *Entrée avec rapidité et violence: Il a fait irruption dans la pièce.* Ne pas confondre avec **ÉRUPTION**

ISAÏE. (Pron.). *I-sa-ïe.* Il convient de détacher la voyelle sur laquelle est placé le tréma.

ISLAM. (Pron.). *Iss-lam.*

ISME. (Pron.). À prononcer *ism* (et non « iZm » par mollesse).

ISRAËL. (Pron.). *Iss-ra-ël* (et non « IZ-ra-ël »).

JARDINERIE. (Voc.). *Magasin de grande surface où l'on vend tout ce qui concerne le jardin.* Équivalent français de « garden-center ».

JET. Voir Équivalent **AVION À RÉACTION**.

JETABLE. (Voc.). Néol. récent proposé par la publicité. Est accepté.

JETER LE MANCHE APRÈS LA COGNÉE et non « avant » comme on l'entend parfois (confusion avec l'expression *mettre la charrue devant les bœufs*). Signifie *se décourager par lassitude, par dégoût.*

JINGLE. D'importation américaine récente et d'utilisation réduite (milieux de publicité), ce mot n'est pas compris du grand public, qui en revanche connaît son équivalent *ritournelle*, ou, dans certains cas, *indicatif.* Certains disent aussi *musiquette*, ou *respiration*, dans les milieux de l'audiovisuel.

JOUG. (Pron.). *Jou* (le G ne se prononce pas).

JOURS DE LA SEMAINE. Ils prennent normalement la marque du pluriel. Ex.: *Tous les lundis, tous les dimanches, etc.*

JUGER. (Const.). Transitif: *Ils ont jugé l'accusé.* Employé avec la préposition DE, *juger de* signifie *Se faire une opinion de, s'imaginer.* Ex.: *Jugez de ma surprise.*

JUILLETISTE. (Voc.). Néol. récent. *Celui qui prend ses vacances en juillet.* Voir **AOÛTIEN, SEPTEMBRISTE**.

JUIN. (Pron.). *Ju-in* comme *su-in-ter* (et non « jouin »).

JUMBO-JET. (Voc.). Préférer l'équivalent français *gros porteur* (avion).

JUNGLE. (Pron.). *Jongl* ou *jungl.* La prononciation *ON* était recommandée naguère par l'Académie. Mais la plupart des auteurs ne condamnent pas la généralisation de la prononciation *UN.*

JUNTE. (Pron.). Se prononce *jontt* ou *juntt.* Mêmes remarques que pour **JUNGLE**.

JUSQU'OÙ ON PEUT ALLER TROP LOIN. (Gram.). Et non « Jusqu'où on *ne peut pas* aller trop loin ». Phrase par laquelle Jean Cocteau définissait *le tact dans l'audace.*

KÉROSÈNE. (Voc.). Voir **PÉTROLE**.

KILOGRAMME. Symbole kg (k minuscule). Invariable.

KILOMÈTRE. Symbole km (k minuscule). Invariable. *Idem,* kilomètre carré: km^2, kilomètre/heure *km/h*, kilomètre/seconde: *km/s.*

KILOWATT. Watt étant à l'origine un nom de personne, le symbole de « kilowatt » est *kW* (k minuscule, W majuscule).

KITSCH. (Voc.). *Mot allemand désignant un objet ou un ouvrage de mauvaise qualité ou de mauvais goût (camelote)*. Pour les historiens de l'art ou les sociologues, c'est depuis le XIXe siècle *un art industrialisé à prétention artistique, mais de qualité médiocre*. Ex.: *Une assiette décorée de « l'Angelus » de Millet*, les petites « Tour Eiffel ». « L'outrance peut atteindre une certaine forme d'humour ou de bizarre » (Lexis — 1re édit. Larousse).

LÂCHETÉ. (Voc.). *Manque d'énergie, de courage moral*. Ne pas confondre avec **LAXISME** ou **LAXITÉ**. Voir ces mots.

LAISSER (*se*) + **inf**. Si le sujet de **laisser** est celui qui fait l'action exprimée par l'infinitif, l'accord du participe passé se fait avec ce sujet. Ex.: *Angèle s'est laissé*E *mourir* (Angèle est morte).

Dans le cas contraire, le participe passé est invariable. Ex.: *Angèle s'est laiss*É *enfermer* (ce n'est pas Angèle qui s'est enfermée).

LAPS. *Lapss* (et non « lap(s) ».

LARGAGE. Terme propre aux troupes aéroportées, *désigne le parachutage de personnel ou de matériel*. (Angl. « dispatching » ou « dropping ». (J.O. du 6.1.76).

LARGAGE (*Zone de*) *ou Zone de* **SAUT**. *Désigne la zone sur laquelle un parachutage de matériel est prévu*. (Angl. « drop zone » ou « dropping zone »). (J.O. du 6.1.76).

LARGE (*au*) *ou en* **MER**. Équivalents de « Off-shore ». On dira: *Forages au large* ou *forages en mer*.

LAURE. (Pron.). *Lorr* (O ouvert).

LAXISME. (Voc.). *Doctrine morale tendant à supprimer les interdits au profit d'une tolérance (excessive).* Sur le plan linguistique, s'oppose au « purisme ». Ne pas confondre avec **LAXITÉ.**

LAXITÉ. *État de ce qui est relâché, distendu.* Ex.: *La laxité d'un tissu.*

LE (*explétif*). (Gram.). Dans les propositions comparatives, l'emploi du pronom **le** est facultatif. Ex.: *Il est plus libre que vous ne le croyez* ou *il est plus libre que vous ne croyez.* Voir **NE.**

LEASING. Voir l'équivalent français **CRÉDIT BAIL.**

LEGS. (Pron.). La tradition est de dire « lè », mais l'usage contemporain, — d'influence scolaire — tend à prononcer le « G ». Cf. **CHEPTEL.**

LIAISON. (Pron.). Voir Annexe.

LIBÉRATOIRE. À ne pas confondre avec **libérateur. Libératoire** est un terme de droit et de finances signifiant exclusivement: *Qui a pour effet de libérer d'une obligation, d'une dette.* On dira: *Un paiement libératoire* (et non « libérateur »).

LIMITROPHE. Attention au pléonasme: « Les pays arabes ont des frontières limitrophes avec Israël ». Il faut dire: *Qui ont des frontières communes* AVEC *Israël*, ou *qui sont limitrophes* D'*Israël.*

LISSAGE (n.m.) ou **REMODELAGE** (n.m.). Équivalents français de « Lifting » (Angl.). *Technique employée pour la suppression des rides du visage.*

LISTAGE (n.m.) ou **LISTE** (n.f.). (Informatique). Équivalents français de « Listing ». *Action de lister ou résultat de cette action.*

Document qui reproduit une liste (souvent produit par l'« imprimante » d'un ordinateur).

LISTER. (Verbe.) (Informatique.) Équivalent français de « to list » (Angl.). *Établir une liste, ligne à ligne.*

LOCATION-BAIL. Voir **CRÉDIT-BAIL**.

LOCKHEED. (Pron.). *Lok-id* (et non « loukid »). *Lock* comme *to lock*, et non comme « to look ».

LOCUTIONS FIGÉES. (Liaison). La liaison est admise dans certaines locutions figées.

On dira: *Un pied à terre* (inv.) (mais « mettre pied//à terre »),
Un pot aux roses (inv.) (mais « un pot//à fleurs »),
Un pot au feu (inv.) (mais « mettre le pot//au feu »).

LOGICIEL. n.m. Angl. « software », voc. informatique. *Ensemble des programmes, procédés et règles (éventuellement de la documentation), relatifs au fonctionnement d'un ensemble de traitement de l'information.*

LONGEMER. (Pron. régionale). *Lonj-mèr* (et non « lonj-mé ») contrairement à *Gérardmer (mé)*.

LONGWY. (Pron.). Localement (Lorraine) « lon-oui ».

LOQUACE, LOQUACITÉ (Pron.). On devrait dire « lo-quouace » et « lokacité », mais l'usage tend à imposer *loka-ce*.

MADAME. Abrév. *Mme* (sur la même ligne que le nom ou le titre). Pour le genre du nom commun qui suit. Voir **DIRECTEUR, DOCTEUR, PRÉSIDENT, INSPECTEUR, AMBASSADEUR...**

MADEMOISELLE. Abrév. *Mlle* (sur la même ligne). Voir **MADAME.**

MAGASIN. Avec un S (et non un « z »), mais un « magazine » (journal).

MAGMA. (Pron.). *MaG-ma* (G dur).

MAGNIFICAT. (Pron.). *MaG-ni-fi-catt'* (G dur).

MAGNIFICENCE. (Pron.). *Ma-gni-fi-sens* (G mouillé).

MAGNOLIA. (Pron.). *Ma-gno-lia* (G mouillé).

MAGNUM. (Pron.). *MaG-nom* (G dur).

MAILING. (Voc.). Voir **PUBLIPOSTAGE.**

MAINTENANT. (Pron.). *Maint'nant* (et non « maintEnant »). Voir Annexe.

MAIRE, MAIRESSE. (Gram.). « Mairesse » n'est plus employé. On dit *le maire*, même lorsqu'il s'agit d'une femme.

MAITRE(S). (Titres des avocats et des notaires). Abrév. M^{e}, M^{es}.

MAJUSCULE (emploi de la). Voir Coll. « Guide du bon usage ».

MANAGEMENT. (Voc. Pron.). Terme anglais à prononcer à la française: *ma-na-je-man.* Ce mot signifie *direction* et désigne *l'ensemble, des techniques d'organisation et de gestion de l'entreprise.* En français, il suggère non pas l'idée de hiérarchie, mais celle de *l'emploi des méthodes modernes et efficaces.* Le Ministère des Finances propose d'adopter les dérivés: **manager** (verbe à prononcer *managé*) et **MANAGER** (nom), celui qui dirige une entreprise (à prononcer *manageur*).

MANIÈRE (*de toute*). (Gram.). S'écrit au *singulier*, mais on écrira: *De toutes les manières.*

MANSHOLT. (Homme politique des Pays-Bas.) Pron. *Mans-holt.*

MARCHANDISAGE. n.m. Équivalent de « merchandising ». *Ensemble des techniques permettant d'assurer le meilleur écoulement des produits par une adaptation et une présentation des marchandises tenant compte des motivations des consommateurs et de divers éléments de politique commerciale.*

MARCHÉAGE. (Voc.). Terme recommandé pour remplacer le mot « marketing ». *Actions pratiques concernant un produit déterminé.* Voir **MERCATIQUE.**

MARGINALISATION. (Voc.). Néol. récent. Dérivé de *marginal, marginaliser.*

MARKETER. (Voc.). Mot franglais à éviter. Équivalent: *Commercialiser.*

MARKETING. (Voc.). Voir **MARCHÉAGE, MERCATIQUE.**

MARXISME. (Pron.). *Mark-si*ss*m* (et non « mark-siZm » par mollesse).

MASSE. (Gram.). L'accord du verbe se fait aussi bien au sing., si l'on veut insister sur la notion d'ensemble, qu'au pl., si l'on veut insister sur les éléments qui composent cet ensemble.

MASS MEDIA. Voir **MÉDIA.**

MATÉRIEL. n.m. *Ensemble des éléments physiques employés pour le traitement de l'information*, que les Américains désignent par « hardware » (*quincaillerie*).

MATURER. (Voc.). Néol. récent. Dérivé de *maturité, maturation.*

MAUGHAM. (Pron.). *Maum* (ne pas faire entendre le « gh »).

MAURES. Comme *Les Maures et l'Estérel.* Pron.: *Morr* (O ouvert comme dans *mort* ou *corps*).

MAZOUT. Voir **PÉTROLE.** Pron.: *Ma-zouT* (et non « mazou »).

MÉDECIN GÉNÉRALISTE, GLOBALISTE, INTERNISTE. Les termes « médecine générale » et (médecin) « généraliste » ont vieilli et parfois sont délaissés au profit d'abord de *médecine globale* et (médecin) *globaliste,* et surtout de *médecine interne* et donc (*médecin*) *interniste,* qui ont été adoptés officiellement par le Ministère de l'Éducation depuis une quinzaine d'années.

MÉDIA. n.m. *Technique de diffusion de la culture de masse* (presse, radio, télévision, affiche, disque). « Mass media » réduit à « média » a été francisé par la Commission de terminologie de l'O.R.T.F. et prend donc un accent aigu et la marque du pluriel (*les médias*). Synonyme: *Un moyen (de communication de masse).* (Voir J.O.).

MÉFORME. Néol. sport. *Mauvaise condition physique.* Ex.: *La méforme d'un athlète.*

MEILLEUR. (Gram.). *Comparatif de supériorité de* « bon ». Néanmoins *PLUS BON* n'est pas incorrect:

— Quand la comparaison porte sur *BON* et un autre adj.: *Il est plus bon que juste.*
— Quand *BON* a le sens de *naïf, crédule*: *Vous êtes bien bon de le croire et encore plus bon de l'écouter.*
— Dans la locution figée: *Plus ou moins bon.*

MEILLEUR (*deuxième*). Pourquoi dire « le deuxième meilleur de cette course » ou « le 35e meilleur temps »? Simple traduction de l'anglais « second best ». Incorrection. En français, on dit simplement: *Le deuxième de cette course* ou *le 35e temps.*

MEILLEUR (*prendre le*) *sur*. Angl. pur. Traduction littérale de « to get the better of somebody ». Équivalent français: *L'emporter sur.*

MÉMOIRE. Au fém., *la mémoire: Faculté de se souvenir.* Mais au masc. sing.: *Un mémoire: Écrit, exposé ou état de sommes dues* et au masc. pl.: *Souvenirs, annales.*

MENU (*au*). (Voc.). Quand il ne s'agit pas de repas. Cliché très banal. Préférer: *Au programme* (de la manifestation), ou *à l'ordre du jour* (du Conseil des Ministres).

MER (*en*). Équivalent de « off-shore », comme *au large*. Voir **LARGE**.

MERCATICIEN(NE). (Voc.). *Spécialiste de la* **MERCATIQUE**.

MERCATIQUE. (Voc.). n.f. Équivalent de « marketing ». Alors que le *marchéage* englobe plus spécialement les actions pratiques concernant un produit déterminé, la *mercatique* s'applique aux aspects plus théoriques et généraux de cette technique. Voir **MARCHÉAGE**.

MERCHANDISING. (Voc.). Voir l'équivalent: **MARCHANDISAGE**.

MÉRITANT. (Voc.). Ne s'applique qu'à une personne et signifie *dont la conduite est méritoire, digne d'éloges.* Ex.: *Cette mère de famille méritante a élevé seule ses sept enfants.*

MÉRITOIRE. Ne peut qualifier qu'une attitude, une action ou une œuvre. Ex.: *Récompenser des efforts méritoires.*

MESDAMES, MESDEMOISELLES. (Abrév.). *Mmes* (sur la même ligne). *Mlles* (sur la même ligne et non « M^{elles} » ou « Melles »)

MESSAGE PUBLICITAIRE. n.m. Équivalent de **SPOT**.

MESSIEURS. Abrév. MM. (et non « MMrs »).

MÈTRE CARRÉ. Symbole m^2 (m minuscule).

MÈTRE CUBE. Symbole m^3 (m minuscule).

METTRE À JOUR, METTRE AU JOUR. *Mettre à jour* signifie: Tenir en ordre » (une correspondance, une comptabilité). Ex. *Il met régulièrement à jour son journal intime.*
Mettre au jour signifie: *Révéler, porter à la connaissance de tous.* Ex.: *La mise au jour de son journal intime a provoqué un scandale.*

METTRE LA CHARRUE AVANT (DEVANT) LES BŒUFS. Signifie *Faire d'abord ce qui devrait être fait après.*

METZ. Se prononce *mess* (et non « Me-t-z »).

MIEUX *(tant de)*. Dire: 5 *points de plus* et non « 5 points de mieux ». *MIEUX*, comparatif de « bien », qualité, ne peut s'employer à la place de « plus », quantité. De même, on doit dire: *Ce coureur a couvert le parcours en deux secondes de moins que son concurrent* (et non « de mieux »).

MILIBAR. Symbole *mb* (m minuscule invariable).

MIL-MILLE. Si l'Académie précise que l'on écrit *MIL* dans l'énoncé des dates quand cet adj. numéral est suivi d'autres nombres, cette forme n'est jamais obligatoire et, à côté de *l'an MIL neuf cents*, on peut toujours écrire *l'an MILLE neuf cents.*

MILLE MARIN ou **NAUTIQUE**. *Le mille marin* est une mesure de longueur équivalent à 1 852 m, à ne pas confondre avec le « mille anglais » = 1 609 m (en angl. « mile », pron. « maïle »).

MINIMARGE. n.m. Équivalent de « Discount house ». *Désigne un magasin de vente avec marges bénéficiaires réduites.*

MINORER. (Voc.). Néol. *Évaluer une chose au-dessous de sa valeur réelle.*

MINUTE. (Voc.). Abrév. normale: *mn* (minuscules). Réserver l'emploi de l'accent ′ pour marquer la mesure des angles: Ex. 3′ 12′ (trois degrés, douze minutes); ne jamais employer cet accent comme mesure de temps.

MI-TEMPS. (Voc.). Le mot *mi-temps* désigne chacune des *moitiés de la durée réglementaire d'un match de football,* mais il a aussi le sens de *temps de repos entre deux périodes.* Ex.: *Nous arrivons à la fin de la mi-temps* peut donc s'appliquer aussi bien aux dernières minutes de la (première) période de jeu qu'au moment où les équipes vont revenir des vestiaires pour la seconde; dans ce deuxième cas, il est préférable de parler de *pause* ou de *repos*, ce qui supprime l'ambiguïté.

MODUS VIVENDI. Se prononce *mo-duss vi-*VIN*-di* (et non « vivANdi »).

MOELLE, MOELLEUX, MOELLON. Pron. *moil*, *moi-leu*, *moi-lon* (et non « mo-èle »).

MOINS. (Pron.). Le *S* final ne se prononce pas, de même pour *moins que* et *à moins que.*

MOINS DE DEUX. (Gram.). Le verbe s'accorde avec le complément de *moins*, puisque c'est sur lui que s'arrête la pensée. Ex.: *Moins de deux heures se sont écoulées.*

MOITIÉ. (Gram.). Après **la moitié de**, l'accord se fait aussi bien au sing. (si l'on veut insister sur la notion d'ensemble), qu'au pluriel (si l'on veut insister sur les éléments qui composent l'ensemble). Cependant le sing. est de moins en moins employé: *La moitié des invités lui étaient inconnus.*

MONITEUR. n.m. *Appareil électronique réalisant automatiquement certaines opérations à la place de l'homme.* (Angl. « Monitor »).

MONITORAGE. (n.m.). *Technique de surveillance permettant d'observer un trafic radio ou le fonctionnement d'un système complexe.* (Angl. « Monitoring »). (J.O. du 6.1.76).

MONSIEUR. Abrév.: *M.* (et non « Mr » qui est angl.).

MORT-NÉ. S'écrit avec un trait d'union. *Mort* est invariable. Ex.: *Des enfants mort-nés.*

MOTONEIGE. Terme canadien récent, désigne l'ancien *scooter des neiges*: *Engin permettant à une ou deux personnes de se promener sur les champs de neige.*

MOTS INVARIABLES MONOSYLLABIQUES. (Pron.). La liaison est correcte entre les mots invariables mon*o*syllabique (*plus, très, fort, dans, en, sans...*) et le mot qu'ils modifient: *Très intéressant, tout entier, sans éclat.*

MOTS LATINS. Dans les mots latins couramment employés en français, la voyelle *E* s'écrit sans accent, mais elle se prononce comme si elle comportait un accent aigu. On dira donc: DÉ*juré*, DÉ*facto*, DÉ *visu*, et non « de jure ». On prononcera non « vice-versa », mais *viss*É-*versa.*

MOUVOIR. (Orth.). Seul le participe passé masculin a un accent circonflexe: *M*Û (*mue* au fém.).

MOYEN. Syn. de **MÉDIA**. Voir ce mot.

MOYEN-ORIENT. Voir **PROCHE-ORIENT**.

MOZART. Se prononce à la française: *Mo-zar.*

MULTIPLAY, MULTIPLAY-BACK. Voir **(ENREGISTREMENT) FRACTIONNÉ.**

MULTIPROCESSING. Préférer son équivalent **multitraitement**: *Mode suivant lequel l'ordinateur peut travailler simultanément sur un ou plusieurs programmes.*

MUSICIEN(S)-NÉ(S). S'écrit avec un trait d'union et reçoit la marque du pluriel.

NAPHTA. Voir **PÉTROLE.**

NARCOTIC. Voir **STUPÉFIANT.**

NE *explétif.* On emploie le *NE* dit explétif après:
— Un comparatif d'inégalité: *Mieux, moins, autre, plus. Il est plus libre que vous* NE *croyez.*
— Dans certaines complétives introduites par *craindre, avoir peur, empêcher, éviter* et autres verbes de même sens: *Il craint qu'il ne pleuve.*
— Dans les propositions introduites par
  — *avant que*: *Avant qu'il ne vienne.*
  — *à moins que*: *À moins qu'il ne vienne.*

Mais cet emploi n'est pas obligatoire. *Attention*, l'emploi de *NE* est incorrect après « sans que ».

NÉ, NÉE. L'adj. **né** se joint par un trait d'union à certains mots qu'il caractérise. Ex.: *Un écrivain-né, une aveugle-née*, etc.

NÉANTISER. Néol. *Supprimer, abolir, anéantir.*

NÉGATION. Éviter de supprimer le premier terme de la négation: « J'en sais rien », « c'est pas facile ». Style relâché, pas de mise sur l'antenne. Inversement, ne pas redoubler abusivement la négation, comme « Ils ne doivent pas souffrir ni de la faim, ni de la soif ».

NÉGOCIER UN VIRAGE. (Voc.). Cette nouvelle acception de **négocier** est parfois encore dénoncée comme une impropriété et comme un anglicisme (sports). Elle est cependant entrée dans l'usage et est attestée par les dictionnaires les plus récents.

NIVEAU (*au*) (*de*). Est devenu un cliché envahissant, souvent improprement employé à la place de *pour, dans, sur, au sujet de*... Ex.: « Une opération au niveau du cœur » pour *une opération cardiaque!* Les vrais synonymes de *au niveau de* sont *à la hauteur, à la portée*. Éviter l'équivoque.

NOCTURNE. Masc.: Œuvre musicale. Ex.: *Les Nocturnes de Chopin*.
Fém.: Désigne une fête nocturne ou l'ouverture d'un magasin après 20 h.

NŒUD. 1) Marques faites sur l'ancienne ligne de loch, distantes les unes des autres de 15,432 m et qui servaient à mesurer la vitesse des navires.
2) Unité de vitesse utilisée en navigation maritime ou aérienne équivalant à la vitesse uniforme qui correspond à 1 mille par heure soit 1 852 m/h ou 0,514 m/s. Ex.: *Ce bateau file* 15 *nœuds* (et non 15 nœuds à l'heure).

NOM + Compl. (Liaison). La liaison est facultative entre le nom et son complément. On peut dire: *dos//à dos* ou *dos à dos, d'un bout//à l'autre* ou *d'un bout à l'autre*, etc.

NOM sing. + adj. On ne fait pas la liaison entre un nom sing. et l'adj. qui le suit. On dira: *Le Gouvernement//allemand, le secours// attendu*... Voir Annexe **LIAISON**.

NOM plur. + adj. La liaison entre un nom plur. et un adj. n'est pas obligatoire. On peut dire: *Les gouvernements//allemands* ou *les gou-*

vernements Z'allemands, les secours//attendus ou *les secours Zattendus.* L'usage de la liaison est considéré comme la marque d'une expression plus soignée. Voir Annexe **LIAISON**.

NOM sing. terminé par une consonne muette. La liaison est incorrecte après un nom sing. terminé par une consonne muette. On dit: *Un lou(p)//affamé, un cou(p)//inattendu*, etc. Voir Annexe **LIAISON**.

NOMBRE *de* (+ **subst. plur.**). Après **Nombre de,** le verbe est toujours au pluriel. (Expression littéraire.)

NOMBRES COMPOSÉS. Le tiret est obligatoire pour unir les chiffres dont le total est inférieur à cent: Ex.: *Soixante-dix-neuf* mais *cinq cent soixante-dix-neuf.*

NOMBRIL. Se prononce *Non-bri* (l muet).

NOMS PROPRES ÉTRANGERS. (Pron.). Quand l'usage s'est établi, on prononce les noms propres à la française: Mozart (*Mo-zar*), Chopin, (*Chopin*), Bach (*bak*), Beethoven (*bé-to-ven*). En revanche, pour les noms propres contemporains que l'actualité fait connaître, l'usage est de se rapprocher non de la graphie française, mais de la prononciation d'origine. Toutefois en cas d'incertitude, la francisation est préférable.

NON. (Orth.). Entre l'adverbe **non** et un substantif ou un verbe à l'infinitif, le trait d'union est obligatoire. Ex.: *Un non-lieu, un non-alignement, une fin de non-recevoir, le non-être*, etc.

NON-STOP (*une*) descente. Angl. *En ski, course d'essai qui précède une compétition sur la totalité du parcours et dont les temps déterminent l'ordre de départ des concurrents.* Préférer l'équivalent français: *Essai final.*

NORD-EST, NORD-OUEST. La liaison est incorrecte puisque *nord* se termine par deux consonnes dont la 1re est un *R.* On dira donc: *nord//est, nord//ouest.* Voir Annexe **LIAISON**.

NORMALISATION. Terme médical recommandé, équivalent de l'angl. « standardization ». (J.O. 16.2.75).

NOUVEAU. Se joint par un trait d'union à certains mots qu'il caractérise. Ex.: *Des nouveau-nés.* Dans ces expressions *nouveau* est invariable.

NOVATEUR. (Voc.). Synonyme d'**INNOVATEUR**. Celui qui innove ou tente d'innover.

NOVATION. (Voc.). À ne pas confondre avec « innovation ». **Novation** est un terme strictement juridique qui désigne le plus souvent la substitution d'un nouveau titre de créance à un autre.

NUMÉRIQUE. (Voc.). Équivalent de l'adj. anglais « Digital ». *Désigne un nouveau type de pendule avec un cadran sans aiguilles, mais avec lecture de chiffres mobiles.*

NURSE. (Angl.). Équivalents recommandés: *Infirmière, nourrice, gouvernante* et pour **NURSING**: *Maternage, soins infirmiers* (J.O. du 16.02.75).

NUTRITIF. *Qui contribue à la nutrition.* (Se rapporte à l'alimentation ordinaire.)

NUTRITIONNEL. Néol. (Se rapporte à la diététique): *Les besoins nutritionnels.*

OBÉLISQUE. (Gram.). n.m. *Un obélisque illuminÉ.*

OBLIGER *À* et (au passif) **ÊTRE OBLIGÉ** *DE*. Ex.: *Vous m'obligez* À *partir* (ou *vous me forcez* À..., *vous me contraignez* À...). Mais: *Ils sont obligés* (*contraints, forcés*) DE *partir*, ou *je vous serais obligé* DE *bien vouloir*...

OCCUPER. (Voc.). Dire: *Occuper une ville* si l'on veut exprimer que la ville a été prise, et non « l'investir »,qui signifie: « encercler », « l'assiéger ». Voir **INVESTIR**.

OCTAVE. n.f. Relig. catholique: *Huitième jour après une grande fête*. Ex.: *L'octave de Pâques*. Musique: *Intervalle de 8 degrés dans la gamme diatonique*. Escrime: *Huitième parade*.

ŒCUMÉNIQUE. (Pron.). *É-ku-mé-nik* (et non « *eu*-kuménik »).

ŒDEME. (Pron.). *É-dèm* (et non « eu-dèm »).

ŒDIPE. (Pron.). *É-dipp*.

ŒNOLOGIE. (Pron.). *É-no-lo-ji*.

ŒUF. (Pron.). Sing.: *Euf*, pl.: *Eu*.

ŒUVRE. (Gram.). Nom fém. Ex.: *Une œuvre réussie*. Nom masc., s'il s'agit de la totalité des œuvres d'un artiste. Ex.: *L'œuvre gravé de Rembrandt*. Au pluriel **œuvre** est toujours féminin.

OFF (*voix*). (Voc.). Voir (voix) **HORS CHAMP**.

OFF SHORE. Voir **AU LARGE** et **EN MER**.

OLÉODUC. *Canalisation pour le transport du pétrole*. Équivalent de **PIPE-LINE**.

OLYMPIADES (*les*). Ne peut être employé à la place de « Jeux Olympiques ». Une *Olympiade* désigne la période de quatre ans entre deux Jeux Olympiques.

ONE MAN SHOW. Voir **SPECTACLE-SOLO**. Mais la locution américaine est devenue courante (1977).

ONZE. Liaison incorrecte devant *Onze*. On dira: *Les//onze joueurs.*

OPEN TICKET. Voir **BILLET OUVERT**.

OPÉRATIONNEL. Néol. Adj. Outre un sens militaire connu et une adaptation de l'anglais (*La recherche opérationnelle*: Technique d'analyse scientifique des phénomènes d'organisation), ce terme connaît actuellement une certaine vogue, une extension de sens signifiant simplement *Qui permet d'effectuer de la meilleure manière certaines opérations.* Un terme dont il convient de suivre l'évolution.

OPTIONNEL. Néol. Adj. Dérivé d'*option*: *Qui donne lieu à une option, un choix*: *Des crédits optionnels.*

ORBITE. (Gram.). n.f.: *Une orbite.*

ORCHIDÉE. n.f. *Une orchidée*, comme *une azalée.*

ORDRE DIFFÉRENT (*dans un*), (*sans*) **ORDRE**. Vocab. sportif. À employer à la place de « Dans le désordre », qui est une tournure impropre.

ORGUE. Masc. au sing. Ex.: *Un grand orgue* et fém. au pl. Ex.: *Les grandes orgues.*

OSCILLATION, OSCILLER. (Pron.). *ô-ssi-la-tion, o-ssi-lé.*

OTAN. (Pron.). Terme français o-*tan* (et non « otane »). Angl. « NATO ».

OÙ (Y). (Gram.). Une faute très fréquente consiste à employer *Y* dans une subordonnée introduite par « dont » (pléonasme syntaxique). Ex.: « Ce jardin où je m'*y* suis souvent promené » (pour *où je me suis souvent promené*).

OUÏ. Verbe **OUÏR**. Pron. Liaison incorrecte devant *ouï*. On dira: *Les//ouï-dire*.

OUTIL. (Pron.). *Ou-ti* (l muet), comme *fusi(l)*.

OUVERTURE (*en fondu*). n.f. *Apparition progressive de l'image*. (Angl. « fade-in »).

OVERDOSE. Terme médical. Voir **SURDOSE**.

PACE-MAKER. (Voc.). Voir **STIMULATEUR** (cardiaque, respiratoire).

PACK. (Voc. rugby). Voir **PAQUET** (*paquet d'avants*).

PAGAIE (*aviron*), **PAGAYE**. Pron. *Pa-gai*, a donné *pagayeur* (à prononcer *pa-gué-yeur* et non « pa-gua-yeur »). Ne pas confondre avec **pagaïe, pagaille** ou **pagaye**, pron. *pagaille* (comme *canaille*), au sens de grande quantité, grand désordre ou désordre.

PALLIER. (Const.). *Apporter une solution provisoire*. **Pallier** est un verbe *transitif*: *Il faut pallier ces inconvénients*. Erreur fréquente due à la confusion avec *Remédier à*.

PALMARÈS. (Voc.). n.m. Équivalent de **HIT-PARADE**. On dit aussi *Succès* (de la semaine, du mois).

PANÉGYRIQUE. (Voc.). n.m. *Discours à la louange de quelqu'un*. Ne pas confondre avec **APOLOGIE**. Voir ce mot.

PANIQUER. Dénoncé par les puristes, mais d'emploi fréquent au sens transitif et intransitif, attesté par le nouveau *Petit Robert* (1977) et *Lexis*.

PÂQUES, PÂQUES. (Gram.). **Pâque**: *Fête juive*, au féminin. Ex.: *Les gâteaux de la pâque juive.* **Pâques**: *Fête chrétienne.* — Est masculin singulier quand on parle du jour de la fête: *Quand Pâques sera arrivé.* — Est féminin pluriel quand il est accompagné d'une épithète: *Pâques fleuries* et quand il désigne la communion pascale: *Faire ses Pâques.*

PARAGUAY. (Pron.). En français, on dit traditionnellement: *Pa-ra-guè* ou *pa-ra-goué* (jamais « paragouaille »).

PARAÎTRE. (Orth.). Ne pas oublier l'accent circonflexe à la 3e personne du sing. du présent de l'indicatif: *Il paraît.*

PARAMÈTRE. (Voc.). Terme précieux qui passe des mathématiques et de la géométrie à la médecine, par l'intermédiaire de l'informatique. Bien souvent les mots: *Facteur, variable, constante* sont plus précis et mieux compris. (J.O. 16.02.75).

PARAPHE. n.m. (Écrit aussi « parafe ».) *Trait de plume ajouté à la signature* ou *signature abrégée* (généralement formée des initiales) *qui authentifie chaque page d'un document.* Ne pas confondre avec « signature ».

PARC, PARC-AUTO. Équivalents de « parking » (Angl.).

PARDONNER. (Gram.). *Pardonner quelque chose à quelqu'un.* (Pardonner quelqu'un est archaïque.)

PARKING. (Voc.). Voir équival. **PARC, STATIONNEMENT** et **PARCAGE AUTORISÉ**.

PARLER À. (Gram.). On dit *Parler à quelqu'un* ou *parler avec quelqu'un*, mais seulement *causer avec quelqu'un.* Voir **CAUSER**.

PARLER français. Signifie au sens propre: *S'exprimer en français*, au sens fig.: *Parler en bon français.*

PARLER le français (*savoir le parler*). Se dit en général d'un étranger capable de se servir du français.

PAROXYSME. (Pron.). *Pa-rok-sissm* (et non « pa-rok-siZm » « par mollesse »).

PARTAGE DE TEMPS ou *travail en* **TEMPS PARTAGÉ.** *Mode de traitement de l'information* dans lequel plusieurs utilisateurs exécutent sur le même ordinateur des travaux indépendants, des tranches de temps étant affectées à chaque utilisateur, qui néanmoins peut suivre son propre rythme de travail. (Angl. « Time-sharing »).

PARTICIPE PASSÉ (*accord du*). Voir sur ce sujet dans la même collection: *Savoir accorder le participe passé* de *Maurice Grevisse*

PARTICULE PATRONYMIQUE. La particule est maintenue: Après le prénom: *Alfred de Musset*, — Après le titre nobilaire: *Le chevalier d'Assas*, — Après le titre de civilité: *Mme de Maintenon*, — Très souvent après la fonction ou le grade: *L'amiral de Coligny.* Ailleurs elle est supprimée: *Un ouvrage sur Richelieu, les drames de Musset.*

La règle préconisant le maintien de la particule devant les noms d'une syllabe, les noms de deux syllabes avec finale muette et les noms commençant par une voyelle ou un *H* muet est diversement suivie. On écrit: *Un discours de de Gaulle, les exploits de d'Artagnan*, mais *Les mémoires de Retz, les œuvres de Sade.*

PARTIR. (Const.). Malgré l'usage de plus en plus répandu de « Partir à Paris » et de « partir en Allemagne » seul: *Partir pour Paris, pour l'Allemagne* est admis par les grammairiens.

PASSÉ SIMPLE. (Orth.). L'accent circonflexe est obligatoire à la 1re et à la 2e pers. du pl.: *Nous parlâmes, vous fîtes.*

PATIO. Pron. *Pa-tio* (T dur comme *pasteur*) et non « passio » (comme « passion »).

PAUL, PAULE. (Pron.). **Paul** se prononce *Poll* (O ouvert), mais le prénom féminin est *Pôl* (O fermé).

PAYER-PRENDRE ou **PAYER-EMPORTER.** N.m. Équivalent de « Cash and carry » (Voc. de l'éco.). *Forme de vente visant à une compression des frais généraux par une stricte limitation des services rendus.* Les acheteurs viennent eux-mêmes enlever la marchandise à l'entrepôt du vendeur. Ils paient comptant et se chargent de l'emballage et de l'acheminement.

PÉCUNIAIRE. (Voc.). Adj. à forme unique. On dit: *Des ennuis pécuniaires* (et non « pécuniers »).

PEELING. Voir **EXFOLIATION.**

PENCHER (*se*) *SUR.* Mot passe-partout dont on abuse. Ex.: « Ils se sont penchés sur le problème ». Mieux vaut dire: *Ils ont étudié* ou *examiné la question.*

PÉNITENTIAIRE. Dire: *Le personnel pénitentiaire* (et non « pénitencier », car « pénitencier » est un substantif).

PENSUM. (Pron.). *Pin-som* (et non « pAnsum »).

PENTAGONE. (Pron.). *PIN-ta-gonn* (et non « pan-ta-gônn »).

PERCHISTE. (Voc. de l'audiovisuel). n.m. *Agent d'exécution qui tient la perche portant un micro au-dessus de la personne qui parle* (Angl. « Perchman »).

PERFORMANCE. (Voc.). Une *performance* est soit un *résultat* chiffré, bon ou mauvais: *Une bonne performance, une performance médiocre*, soit un *exploit*: *C'est une performance.*

PERFORMANT. (Adj.). Néol. Se dit d'une entreprise ou d'un produit très compétitif sur le marché: *Les vingt entreprises les plus performantes.* Ce terme relève de l'exploit.

PERFORMER ou **PERFORMEUR**. « X., meilleur performer mondial du 800 m ». Anglicisme déconseillé.

PÉRIL EN LA DEMEURE (*il y a*). Signifie qu'il y a péril à attendre, à tarder. *Demeure* est pris dans son sens ancien de *retard* (et non qu'il y a péril en la maison). *Demeurer* = *s'attarder*.

PÉRIPÉTIE. En principe, événement important, coup de théâtre et non pas « événement d'importance secondaire » comme on a tendance à le dire dans le langage politique en particulier.

PÉRIPLE. (Voc.). n.m. *Voyage maritime autour d'un continent.* (Syn. : *Circumnavigation*). Employé abusivement au sens de « Voyage ». Ce glissement de sens n'est pas admis dans la langue soutenue.

PERMETTRE. (Const.). *Permettre quelque chose* à quelqu'un ou *permettre de + infinitif.* (Ne pas confondre avec « Autoriser à ».)

PERMETTRE (*se*). (Const. et accord.) **Se permettre de + infinitif**. Le participe passé s'accorde, comme si l'auxiliaire était *avoir*, avec le complément d'objet direct si celui-ci est placé avant le verbe. Ex. : *Elles se sont permi*s *de le juger, les libertés* QU'*elles se sont permi*SES.

PERMISSIF, PERMISSIVITÉ. (Néol. récent.) *Qui manifeste une grande tolérance* (contraire de « Répressif »). Dérivé : **Permissivité** (mot à la mode).

PERPÉTRER (Voc.). *Commettre, exécuter un acte criminel.* Ne pas confondre avec **PERPÉTUER**.

PERPÉTUER. (Voc.). *Faire durer.* On *perpétue* le souvenir d'un événement ou la mémoire de quelqu'un.

PERSIL. (Pron.). *Per-si* (l final muet).

PERSISTANCE. (Pron.). *Per-siss-tanss* (et non « perZistance »). On peut parler de la *persistance du beau temps* et non de « sa poursuite », car le temps ne se « poursuit » pas.

PÉTALE. (Gram.). n.m. *Un pétale de rose.*

PETER. (Prén. allemand). Se prononce *Pé-teur*, en anglais: « Piteur ».

PÉTROLE. (Terminol. pétrolière J.O. du 12.01.73). *Combustibles liquides provenant de la distillation du pétrole brut*, classés par ordre de densité croissante: *Ether* de pétrole (utilisé en parfumerie, solvant). *Naphta* (distillat léger, servant de base à la pétrochimie). *Essence* (utilisée pour l'alimentation des moteurs à explosion). *Kérosène ou pétrole lampant* (moteur à réaction). *Gazole* (ou « gas-oil » en angl. pour les moteurs à combustion interne, type diesel). *Mazout*, mot d'origine russe, couramment employé, ou *fuel-oil* (utilisé pour le chauffage des habitations). *Fuel lourd* ou industriel, employé dans les usines (prononcer à l'anglaise: *fioul*).

PÉTROLIER, PÉTROLIFÈRE. Adj. À ne pas confondre. **Pétrolier** signifie simplement: *qui se rapporte au pétrole.* Ex.: *Un ingénieur, une industrie...*, alors que **pétrolifère** signifie *qui contient, qui produit du pétrole.* Ex.: *Un champ pétrolifère.*

PEU OU PROU. (Voc.). N'a pas le sens de « peu ou pas du tout »: *prou* signifie *assez, beaucoup, Il souffre peu ou prou* veut donc dire qu'il est toujours plus ou moins souffrant.

PHOTO D'ARRIVÉE. Équivalent de « Photo-finish ». Voir **DEAD-HEAT**.

PIÉTONNE, PIÉTONNIÈRE. (Voc.). Adj.: *À l'usage des piétons.* Préférer *piéton, piétonne.* En effet, avant que les urbanistes ne prévoient la création de rues réservées à l'usage exclusif des piétons, il existait déjà des sentiers *piétons* (par opposition à muletiers).

PIPE-LINE. Terme anglais à prononcer à la française. Canalisation pour le transport de gaz ou de liquides. Pl.: *Des pipe-lines*. Robert Mallet, chancelier des Universités de Paris, avait proposé la francisation en « pipe-lignes », qui était un équivalent excellent.

PLAIDOIRIE, PLAIDOYER. On peut parler de *La plaidoirie d'un avocat* ou de son *plaidoyer*. **Plaidoirie** et **plaidoyer** ne sont cependant pas équivalents: Le premier, plus technique, est réservé au *barreau*, le second est d'un usage plus vaste et plus affectif. (Syn.: *apologie, défense*).

PLAIN. (Orth.). (Du latin « planus », qui a aussi donné « plaine »), signifie: *plat, uni*. Ex.: *Plain-chant* (et non « Plein-chant »), chant liturgique romain, appelé aussi chant grégorien. Plur.: *des plains-chants. De plain-pied*: de même niveau. Fig.: *Sans difficulté d'accès*.

PLAINDRE (*se*). (Gram.). L'accord du participe passé se fait avec le sujet. Ex.: *Elles se sont plaintes de lui.*

PLAINTE. (Gram.). On dira: *Porter plainte* ou *déposer une plainte*, mais non « déposer plainte ».

PLAIRE. (Gram.). Attention à la confusion de « ce qui » et *ce qu'il*. Dire: *Je ferai ce qu'il me plaît* (sous-entendu de faire) et non « ce qui me plaît ».

PLAIRE (*se*). (Gram.). Le participe passé de **se plaire** reste invariable. Ex.: *Ils se sont plu.*

PLAISANCE. (Navigation de). *Navigation pratiquée pour le plaisir* (bateaux à voile ou à moteur). Angl.: « Yachting ».

PLAISANCIER. (Voc.). Qui pratique la navigation de plaisance.

PLAN (*rester en*). (Voc.). Certains écrivent « En plant », qui relèverait, selon Littré, de la famille de « planter » (cf. « planter là »).

Cependant l'usage a établi nettement l'orthographe de **en plan**. On écrira donc: *Rester ou laisser en plan.*

PLAN DE (*sur le*). (Gram.) ou *au niveau de*, et non « au plan de », très à la mode, qui provient de la confusion entre les deux expressions précédentes.

PLANNING. (Voc.). Équivalents: *Calendrier, emploi du temps, plan, programme*, etc.

PLAN RAPPROCHÉ. (Voc. du cinéma). n.m. Équivalent de « Close up ». Prise de vue(s) dans laquelle le personnage est cadré à la hauteur des épaules. Par extension désigne toute prise de vue(s) d'une partie caractéristique d'un objet.

PLAN SERRÉ. (Voc. télévision, cinéma). n.m. Équivalent de « Close up ». (J.O. du 18.1.73).

PLAY BACK (Voc.). Voir les équivalents: **POST-SONORISATION, PRÉ-SONORISATION**.

PLEIN (*Battre son*). Voir **BATTRE**.

PLEIN-EMPLOI. L'usage semble avoir imposé le trait d'union.

PLEIN-VENT. (Pl.: *Des pleins-vents*). *Arbre qui n'est pas abrité.*

PLÉONASMES SYNTAXIQUES. Quand les prépositions comme *de, à...*, chargées d'introduire un complément, précédent la proposition relative, on utilise exclusivement *QUE* en tête de la relative. Ex.: *C'est* DE *l'Europe* QU'*il parle,* et non « C'est de l'Europe dont il parle », ou « c'est à l'amour auquel je pense », comme ne devrait pas dire la chanson. Voir **DONT** et **OÙ**.

PLUPART (*la*). (Gram.). Après *La plupart* (employé seul ou avec un complément au pluriel), l'accord se fait au pluriel. Ex.: *La plupart sont partis en vacances.*

PLUS. Au sens de *davantage*, se prononce *pluss*: *J'en veux pluss*. On dit aussi *bien pluss*. Mais *S* final ne se prononce pas dans *ne plu(s)*, *de plus en plu(s)*, *d'autant plu(s)*, *non plu(s) que*. À noter qu'il faut faire la liaison entre *plus* et le mot qu'il modifie. Ex.: *Plus intéressant*.

PLUS D'UN. (Gram.). Après **plus d'un**, le verbe s'accorde avec le déterminatif, puisque c'est sur lui que s'arrête la pensée. Ex.: *Plus d'un concurrent est découragé par l'obstacle*.

PLUS-VALUE. (Orth.). Avec un trait d'union. Pl.: *Des plus-values*.

POÊLE se prononce *Poil* (et non « po-èl »).

POINT (*faire le*). n.m. Équivalent de « Round up ». *Reprise par ordre logique ou chronologique, dans un but de synthèse, des divers éléments d'informations diffusés au cours de la journée sur un sujet important d'actualité*. Syn.: *Le tour* ou *l'état* d'une question, à distinguer « d'une table ronde » où les arguments sont développés de façon contradictoire.

PONCTUEL. Outre le sens d'*exact*, *régulier*, **ponctuel** est aussi employé au sens de: *Qui porte sur un point*, par opposition à « général ». On peut donc parler *d'une étude ponctuelle, d'une méthode ponctuelle*.

En langage scientifique, **ponctuel** signifie: « qui peut être assimilé à un point »: *Une source lumineuse ponctuelle* et, par analogie, s'emploie en linguistique, quand il s'agit de renvoyer à un événement situé en un instant précis du temps: *Le passé défini est un temps ponctuel*.

POOL. (Voc. général). Voir **GROUPE**. (Voc. sport.). Voir **POULE**.

PORTE-PAROLE. (Orth.). Trait d'union obligatoire.

POST-ENQUÊTE. (Voc. publ.). n.f. Contrôle de l'efficacité d'un film publicitaire, une fois l'opération terminée (Angl. « Post-testing »).

POST-SONORISATION, PRÉ-SONORISATION. n.f. Équivalents de l'anglais « Play-back »: Procédé consistant à séparer la réalisation du son et celle de l'image.

Dans la **pré-sonorisation**, le son existe sous forme pré-enregistrée, tandis que dans la **post-sonorisation**, il est ajouté à une image muette préalablement filmée. Syn. de **pré-sonorisation**: *Surjeu* (pour le « grand public »), proposé par la commission de terminologie de l'O.R.T.F., sans succès.

POULE. n.f. Compétition dans laquelle chaque concurrent est successivement opposé à chacun de ses adversaires. Rugby: Groupe d'équipes destinées à se rencontrer dans la phase préliminaire d'une épreuve (Angl. « Pool »).

POURSUITE. (Voc.). Voir **PERSISTANCE.**

POURVOIR. (Gram.). On dit *pourvoir à quelque chose* (Faire ou fournir le nécessaire pour) et *pourvoir quelqu'un.* Ex.: *Pourvoir ses enfants.* On peut dire aussi: *Pourvoir quelqu'un de quelque chose.*

PRAGMATIQUE. (Pron.). *Prag-ma-tik.*

PRATIQUEMENT. Qu'on ne devrait pas confondre avec « presque ». Dire: *Il a plu sur presque toute la France* (et non « Il a plu pratiquement sur toute la France »).

PRÉ-ENQUÊTE. (Voc. publicité, télévision). n.f. Test préalable d'un film publicitaire effectué auprès de certaines catégories de clients avant de passer au stade de la fabrication et de la diffusion (Angl. « Pretesting »).

PREMIER. Abréviation: *1er* (et non 1er) de même, première: *1re*, premiers: *1ers.* Ne pas dire: « Les premiers trente coureurs » (angl.), mais *les trente premiers coureurs.*

PREMIER-NÉ. Avec un trait d'union. Pl. *Les premiers-nés.*

PRÉNOMS COMPOSÉS. Sont toujours liés par un trait d'union et prononcés ensemble comme un seul prénom: Ex. *Jean-Philippe.*

PRENDRE (*S'EN*) *À*, **S'Y PRENDRE**. Les participes passés de ces deux verbes sont invariables.

PRÈS *DE*, **PRÊT** *À*. Deux locutions à ne pas confondre. **Près de** indique la proximité dans l'espace et au fig. dans le temps. **Prêt à** signifie *disposé à, préparé pour*. On dira: *L'émission est près de se terminer (sur le point)*, et non pas « prête de se terminer ».

PRÉSIDENT. On dit *Madame le Président* s'il s'agit d'une fonction (« Madame la Présidente » étant réservé à la femme d'un président, comme un honneur).

PRÉSIDER, PRÉSIDER À. Présider (Trans.): Diriger. Ex.: *Le chef de l'État préside le Conseil des Ministres.* **Présider à**: Veiller à. Ex.: *Le Chef de l'État préside aux destinées du pays.*

PRÉSOMPTION. (Pron.). Le *P* du groupe *PT* se prononce *PrézomP-tion.*

PRÉ-SONORISATION. Voir **POST-SONORISATION**.

PRESSION, PRESSING. (Voc. sport). Ex.: « Le *pressing* de l'attaque reste sans effet »: c.-à-d. que les attaquants exercent une pression sur l'équipe adverse. **Pression** ayant le même sens, il n'y a aucune raison d'y substituer un mot anglais.

PRESTATION. (Voc.). Le sens traditionnel est *Action de prêter, de fournir*. On parle aujourd'hui de « *prestations* de la Sécurité Sociale », de « toucher des *prestations* familiales ». Ce mot est de plus en plus employé dans le domaine du sport: « Bonne *prestation* d'ensemble des joueurs français » (*performance*) et du spectacle: « La *prestation* d'un chanteur » (le fait de se produire en public). Ces glissements semblent abusifs.

PRÊT À. Voir **PRÈS** *DE.*

PRÉTENDU. Voir **SOI-DISANT.**

PRÉVENU. Voir **INCULPÉ.**

PRÉVISION, PRONOSTIC. Deux mots à ne pas confondre. **Prévision**: Action de prévoir ce qui *peut* arriver. **Pronostic** désigne toute conjecture sur ce qui *doit* arriver. D'emploi plus restreint, ce terme appartient seulement aux vocabulaires de la médecine, de l'astrologie et des sports hippiques. On parlera donc de *prévisions météorologiques,* et non de « pronostics météorologiques ».

PRIMA DONNA. (Gram.). Reste invariable: *Des prima donna.*

PRISE TOURNE-DISQUE. (Voc. techn. radio). n.f. Prise d'entrée d'un amplificateur permettant le branchement d'un tourne-disque (Angl.: « Prise pick-up » ou « P.U. »).

PRIVATIF. (Voc.). Ne signifiait jusque-là « exclusif » que dans la langue juridique. Cependant l'Académie a précisé que dans « le statut de la copropriété des immeubles bâtis, le terme s'applique non seulement à un droit accordé à une personne, à l'exclusion des autres, mais à des choses concrètes comme des terrains ou bâtiments réservés à l'usage exclusif d'un copropriétaire déterminé ». On appelle aujourd'hui **privatif** ce qui s'oppose à « commun », alors que **privé** s'oppose à « public ».

PRIX AFFICHÉ. (Voc. pétrolier) et non pas **prix posté** (« Posted price »). *Prix publié servant de référence fiscale aux pays producteurs de pétrole* (comprenant notamment redevances et impôts payés à ces pays). Le prix affiché est actuellement (1976) plus élevé que le prix réel, c.-à-d. le prix des contrats (de vente par ex.).

PROBLÈME. Mot passe-partout pouvant remplacer: *Incident technique* (petit *problème*), *question* (étudier ce *problème*), *ennui, difficulté,* et même *affaire.* Lui préférer le terme précis.

PROCHE-ORIENT. Désigne en principe les pays riverains de la Méditerranée orientale, le Moyen-Orient étant plus particulièrement réservé aux pays de l'intérieur (Iran, Irak, Arabie Séoudite).

PROGRAMME. n.m. Nombreuses acceptions suivant les cas. Syn.: *Emploi du temps, calendrier, programmation, planification, plan de travail.* (Angl. « planning »).

PROJET DE LOI, PROPOSITION DE LOI. Une seule différence, mais essentielle: **La proposition de loi** émane des parlementaires, **le projet de loi**, du gouvernement.

PROLONGATION, PROLONGEMENT.
Prolongation: C'est le fait de prolonger quelque chose dans le temps: *Jouer les prolongations d'un match de coupe.*
Prolongement: C'est le fait de prolonger quelque chose dans l'espace: *On décide le prolongement d'une ligne de métro.*
Remarque: On parle de la *prolongation* de la guerre (dans le temps) et des *prolongements* de la guerre (au pl.: c.-à-d. *les suites*).

PROMOTION. (Voc. écon.). Abréviation de **promotion des ventes**. Développement ou accroissement des ventes d'un produit par le moyen de la publicité (comportant généralement une réduction de prix). Ex.: *Ce magasin organise la promotion de la télévision en couleur.*

PROMOTIONNEL. (Adj.). *Vente promotionnelle* c.-à-d. *à des conditions exceptionnelles.* Cependant parler d'un « article promotionnel », pour désigner un *produit qui fait l'objet d'une campagne de promotion*, est abusif.

PROMPT. (Pron.). En principe, le *P* du groupe *PT* ne se prononce pas. On dit: *pron.* De même *pron-t'man* (promptement), *pron-ti-tud* (promptitude).

PRONOMS + verbe. (Liaison). La liaison est correcte entre le pronom et le verbe. Ex.: *Ils‿ont, vous‿êtes.*

PRONOSTIC. Voir **PRÉVISION**.

PROPOSER (*se*) *DE*. Voir **(S')ENGAGER À**.

PROPOSITION DE LOI. Voir **PROJET DE LOI**.

PUBLICISTE. (Voc.). Mot vieilli. Désignait autrefois un « écrivain politique ». On dit aujourd'hui un *journaliste*. À ne pas confondre avec **publicitaire**, subst. et adj. : *Professionnel de la publicité*.

PUBLIPOSTAGE. n.m. Prospection, démarchage ou vente par voie postale. (Angl. « mailing »). (Voir J.O. du 12 janv. 73).

PUTSCH. Mot allemand. Se prononce *Poutch* (et non « peutch », à l'anglaise).

QU (Pron.). **Qu** se prononce normalement en français comme K. Toutefois on note des cas d'exception où parfois l'usage paraît hésiter : dans certains mots savants proches du latin, notamment, « qua » et « qui » se prononcent *koua* et *koui*. Cependant lorsque ces mots entrent dans le vocabulaire courant, la tendance générale est de simplifier et de prononcer K.

QUADR. (Pron.). Les mots commençant par *quadr* se prononcent généralement *couadr* (sauf dans *quadrille* et ses dérivés). Certains mots se prononcent *kouadr* ou *kadr*. (Ex. : *Quadrant*, *quadruple*).

QUADRAGÉNAIRE. (Pron.). *Koua-dra-gé-nèr*.

QUADRUPÈDE. (Pron.). *Ka-dru-pè-de*, parfois « koua-dru-pède ».

QUANTITÉ *DE*. (Peu usité). Après **quantité de**, l'accord du verbe se fait au pluriel.

QUARTÉ. (Voc. + pron.). Nouveau système de pari mutuel qui s'est ajouté au fameux tiercé. À prononcer *kar-té*, comme les mots français de la famille de *quart* (*quarte, quartier, quarteron*). Exception: *Quartette*, de l'italien « quartetto » (ensemble de quatre misiciens). *quatuor*, *quarto*.

QUART-MONDE. (Voc.). Outre le sens de *foule internationale des pauvres, des handicapés, des sous-alimentés, etc.*, cette expression désigne *les pays pauvres du Tiers-Monde* (par opposition aux pays qui se sont enrichis grâce au pétrole).

QUASI, QUASIMENT. (Pron.). *Ka-si, ka-si-man.*

QUESTION. (Pron.). *Kes-tion* (et non « kession » par mollesse).

QUI, QU'IL. (Gram.). « **qui** » et « **qu'il** » s'emploient concurremment avec les verbes susceptibles d'être construits impersonnellement, comme *rester*, *arriver*, *se passer...*, avec cependant une préférence pour **qui** quand les verbes ne sont pas exclusivement impersonnels: *Le peu qu'il nous reste à vivre* (impersonnel) et *le peu d'énergie qui lui reste* (personnel).

QUID. (Pron.). *Cuid* (et non « couid »).

QUIÉTISME. (Mot savant). Doctrine philosophique. Se prononce: *Kui-étisme.* Voir **QU-**.

QUIÉTUDE. (Pron.). Est en train de passer de *kui-étude*, recommandé, à « ki-étude », sous l'influence de « inquiet ». Voir **QU**.

QUINQUAGÉNAIRE. (Pron.). *Ku-in-koua-gé-nèr.* Un nouvel usage tend à simplifier en disant *kin-ka-gé-nèr.*

QUINQUENNAL. *Qui a lieu tous les cinq ans* ou *qui dure cinq ans.* Prononciation correcte: *Kuin-kué-nal*, mais il est devenu courant d'entendre « kin-ké-nal », de même que **QUINQUENNAT** et **QUINTETTE** (à tort). Voir ces mots.

QUINQUENNAT. Néologisme de droit constitutionnel forgé à la manière de « septennat »: *durée de cinq ans de la fonction présidentielle.* Prononciation correcte: *Kuin-kué-na.* Voir **QUINQUENNAL**.

QUINTETTE. (Pron.). *Kuin-tèt.* Voir **QUINQUENNAL**.

QUO. L'usage a imposé la prononciation francisée *KO* et non pas « kouo ».

QUILIBET. *Plaisanterie, raillerie.* Pl.: *Des quolibets.* Pron.: *Ko-li-bè.* Voir **QUO-**.

QUORUM. (Pron.). *Ko-rom*, parfois « kouorum ».

QUOTA. (Pourcentage déterminé). n.m. Se prononce *ko-ta*, parfois « kouota ».

QUOTE-PART. *Part que chacun doit payer ou recevoir dans la répartition d'une somme totale.* Ne se rencontre qu'au sing. Pron.: *Kot'par.*

QUOTIDIEN. (Pron.). *Ko-ti-dien.*

QUOTIENT. (Pron.). *Ko-ssian.*

QUOTITÉ. (Pron.). *Ko-ti-té*: *montant d'une quote-part.*

RABATTRE, REBATTRE. Verbes à ne pas confondre. Ex.: *Toutes ces histoires dont on vous rebat les oreilles* (et non « *rabattre* les oreilles », qui est une confusion avec *rabattre le caquet* (fam.), **rabattre** signifiant *rabaisser* ou *amener vivement à un niveau plus bas*).

RACER. (Voc.). Équivalent: *Bateau de course.*

RADOUB. (Pron.). *Ra-dou* (le *B* final ne se prononce pas).

RADOUCISSEMENT. Voir **REDOUX**.

RAJUSTER, RÉAJUSTER. Rajuster: C'est remettre quelque chose à sa place exacte: *Rajuster ses lunettes.* **Réajuster**: C'est adapter quelque chose à une situation nouvelle: *Ils ont réajusté leurs prix en fonction de la hausse du coût des matières premières.*

RAPPELER. (Gram.). Verbe transitif. Ex.: *Je me rappelle cette victoire.* (Confusion fréquente avec « se souvenir de »).

RAPPORTER, REPORTER. Verbes à distinguer. Ex.: *Reportez-vous au texte* (c.-à-d. *référez-vous au texte*). *Rapportez-vous en au texte* (c.-à-d. *faîtes confiance au texte*).

RATING. (Voc.). Voir **INDICE DE PERFORMANCE**.

RÉAJUSTER. (Voc.). Voir **RAJUSTER**.

REAL TIME. Voir **TEMPS RÉEL**.

REBELLE. (Pron.). *REbel* ou *r'bel* (et non « ré-belle »); mais **rébellion** se prononce *ré-bel-lion.*

RÉCEPTIONNER. (Voc.). Bien qu'il soit critiqué par certains puristes, ce verbe est acceptable au sens précis de *recevoir, vérifier et enregistrer une marchandise.* Il ne l'est pas quand il double inutilement le verbe *recevoir*: on ne peut pas « réceptionner quelqu'un ».

RÉCIPIENDAIRE. (Pron.). *Ré-ci-pian-dèr.*

RECOUVRER. (Voc.). Rentrer en possession de, recevoir une somme de, retrouver: *Il va recouvrer ses moyens.* Ne pas confondre avec **RECOUVRIR.**

RECOUVRIR. (Voc.). *Couvrir à nouveau.* Ne pas confondre avec **RECOUVRER**.

RÉCRIMINER. (Gram.). Critiquer avec amertume et âpreté. Est toujours intransitif. Ex.: *Ils récriminent contre cette injustice.*

RÉCUPÉRER. (Voc.). *a*) D'une manière générale, on tend dans le langage ordinaire à *abuser* de **récupérer** — soit qu'on l'emploie à la place de « retrouver » ou « reprendre » (« récupérer des forces »), — soit surtout qu'on l'emploie à la place de « ramasser », « prendre », « emporter », « trouver », en oubliant qu'on ne récupère en principe que ce qui a été perdu, dépensé, oublié. Ces derniers emplois sont incorrects.

b) **Récupérer** tend aussi à prendre place dans le langage politique où il signifie (abusivement), — soit « circonvenir un adversaire », « atténuer son opposition » et même « s'en faire un allié »... Ex.: *Le pouvoir avait l'intention de récupérer de nombreux opposants,* — soit « canaliser« , « détourner à son profit un mouvement d'opinion créé par autrui »: *Les initiatives de base ont été récupérées par les syndicats.*

RÉDEMPTEUR, RÉDEMPTION. (Pron.). En exception de la règle connue, le *P* du groupe *PT* se prononce. On dira donc: *Rédemp-tion* et *rédemp-teur.*

REDEVANCE. Contribution (en nature ou en espèces) payée par la compagnie exploitante au pays producteur. (Angl. « Royalty »).

REDOUX. (Voc. météo.). Terme réservé à la haute montagne pour désigner un adoucissement rapide de la température. Il n'est pas normal de parler de « redoux sur l'ensemble du territoire français », dans ce cas il s'agit d'un *radoucissement général de la température en France.*

RÉDUCTION MAXIMALE. (Voc.) ou *remise*, *rabais*... Équivalent de **DISCOUNT**. Voir ce mot.

RÉENREGISTREMENT. (Voc.). Enregistrement fractionné consistant à ajouter des signaux par recopie et mélange sur une nouvelle piste. (Angl. « rerecording »). Voir **FRACTIONNÉ.**

RÉFÉRENCIÉ. Néol. récent. Il est préférable de dire *référencié* (et non « référencé »), comme on dit *différencié.*

RÉFÉRENDAIRE. Mot français (procédure ou conseiller) est prononcé normalement *Ré-fé-ran-dèr.* Mais **referendum**, mot latin, se prononce *ré-fé-r*IN*-dom.*

REFUSER. Voir **RISQUER.**

REGARDER (*se*). (Gram.). Le participe passé de **se regarder** s'accorde avec le sujet. Ex.: *Elle s'est regard*ÉE *dans le miroir, ils se sont regardé*S *en souriant.*

REGISTRE. Se prononce *Re-gis-tre* (et non « r*é*gistre »), de même que *enregistrement.*

RÉGULATION DES NAISSANCES. Équivalent de l'anglais « Birth control ».

RÉJUVÉNATION. Néol. récent, formé à partir de *juvénile* (Voc. spécialisé — institut de beauté). Opérations en vue de lutter contre le vieillissement, par suppression des rides, bourrelets de graisse et de la calvitie...

REMÉDIER *À.* (Gram.). *Remédier* À *ces inconvénients*, construction à ne pas confondre avec *pallier ces inconvénients.*

REMISE. (Voc.). Voir **DISCOUNT.**

REMODELAGE. N. m. Voir **LISSAGE.**

RENSEIGNEMENT. (Pron.). *Ran-sè-gn'man* (et non « ran-sè-gnE-man »). Voir Annexe **E MUET.**

RENTRER. À ne pas confondre avec **ENTRER**. Voir ce mot.

RENVOYÉ. (Voc.). Voir **INCULPÉ**.

RÉOUVERTURE, ROUVRIR. (Voc.). On parle de la *réouverture* d'un magasin (ou de la *réouverture* des débats), mais le verbe est *rouvrir*, car « réouvrir » n'existe pas.

REPARTIR, RÉPARTIR (Gram.). **Repartir**: (Partir de nouveau) et **repartir** (répondre) se conjuguent comme **partir**. Ex.: *Je repars, nous repartons.* Ne pas confondre avec **Répartir**: *Partager, distribuer.*

REPLAY. (Voc. sport.). Ce terme anglais désignant un procédé de retour en arrière (télévision) correspond au français *Reprise, répétition* ou *rejeu* (avec ou sans ralenti).

REPORTER (RAPPORTER). Voir **RAPPORTER**.

REPORTER-CAMERAMAN. (Voc. télévision). n.m. Équivalent: *Reporteur (d'images).*

REPOS. (Voc.). Voir **MI-TEMPS**.

REPRISE. (Voc. sport.). Voir **REPLAY**.

RÉQUISITOIRE. Le mot **réquisitoire** convient aussi bien dans des emplois spécialisés que dans des emplois figurés. Ex.: *Violent réquisitoire du ministère public, ou réquisitoire contre le nouveau roman.* Contraire: **PLAIDOIRIE, PLAIDOYER**. Voir ces mots.

RERECORDING. Voir **RÉENREGISTREMENT**.

RESPONSABILISER (Voc.). Néol. récent. « Rendre responsable ».

RESSORTIR *À*, **RESSORTIR** *DE*. Verbes déjà distincts par leur construction et appartenant à des conjugaisons différentes.

Ressortir à (qui se conjugue comme *Finir*, part. prés. : *Ressortissant*) : Être du ressort de quelqu'un, être relatif à quelque chose. Ex. : *Dans tout ce qui ressortit au music-hall.*

Ressortir de (qui se conjugue comme *Sortir*, part. prés. : *Ressortant*) : Sortir de nouveau, résulter. Ex. : *Il ressort de cette affaire que...*

RETOUR (*en*) **ARRIÈRE** (Voc. T.V. et Ciné). n.m. *Rupture de la continuité chronologique d'une action et évocation d'une période passée liée à la situation présente.* Syn. : *Rétrospectif.* (Angl. « Flash-back »).

REVENIR. (Pron.). *Rev'nir* (et non « re-vE-nir »). Voir Annexe : **E MUET.**

REVENUS. (Voc.). Voir **DÉCLARATION.**

REVERSER. (Pron.). *Re-ver-ser* (et non « réverser » par confusion avec le mot **réversion**).

RHUMATISME. (Voc.). *Ru-ma-tism* (et non « rumatizm' » par mollesse).

RIEN MOINS QUE, RIEN DE MOINS QUE. Locutions à ne pas confondre. **Rien moins que** est négatif et signifie *nullement* ou *tout sauf.* Ex. : *Il tremble, il n'est rien moins qu'un héros* (c.-à-d. : *Il est tout, sauf un héros*).

Rien de moins que a un sens positif et signifie *pas moins que.* Ex. : *Quel courage ! Il n'est rien de moins qu'un héros* (c.-à-d. : Il est bel et bien un héros).

RIRE (*se*). (Gram.). Le participe passé de **se rire** est toujours invariable, puisqu'il s'agit d'un verbe intransitif. Ex. : *Ils se sont* RI *de nous.*

RISQUER. (Voc.). Ne pas confondre avec « Avoir des chances de ». Voir **CHANCE.**

RISQUER, REFUSER. Sont suivis de la préposition *de.* Ex. : *Nous risquons* (ou *refusons*) DE *tout perdre.* Cependant la forme pronominale impose la préposition *à*. Ex.: *Nous nous risquons* (ou *refusons*) À *tout perdre*.

ROBOTISER. (Voc.). Néol. réc. 1) *Équiper une entreprise de machines automatiques.* 2) *Faire agir quelqu'un comme un robot.*

ROCKEFELLER. (Pron.). Homme politique américain. *Ro-kE-fel-lèr* (et non « Rock'feller »).

ROUND-UP. Voir (*faire le*) **POINT** *sur*.

ROUVRIR. On dit *Rouvrir*. Le verbe « réouvrir » n'existe pas. Confusion fréquente due à **Réouverture**.

ROYALTY. Voir l'équivalent **REDEVANCE**.

RUÉE. (Voc. football). Équivalent proposé de l'angl. **RUSH**.

RUSH. (Voc. audiovisuel): Voir **ÉPREUVE** — (Voc. sportif): Voir **RUÉE**.

SAINT (Orth.). Le trait d'union s'emploie entre *Saint* et le nom suivant quand on désigne une fête, une rue, une église, une époque, etc. Ex.: *La Saint-Nicolas, la rue Saint-Jacques, la ville de Saint-Quentin.* On ne l'emploie pas quand il s'agit du saint lui-même. Ex.: *C'est aujourd'hui la fête de saint Nicolas.*

SANS. (Liaison). La liaison est correcte entre *sans* et le mot qu'il modifie. Ex.: *Sans‿éclat.*

SANS QUE. Après **sans que**, on n'emploie pas *NE*. Ex.: *Sans que personne le sache.*

SANS COUP FÉRIR. (Voc.). Voir **FÉRIR**.

SAOUDIEN, ARABIE SAOUDITE. Graphies anglaises pour *Séoudien*, Arabie *séoudite*. Voir **SÉOUD**.

SARREBRÜCK. (Pron.). *Sar-br*UCK (mais *Innsbruck* se prononce *Inn-sbr*OUK).

SATISFECIT. (Pron.). *Sa-tis-fé-sit* (le T final se prononce). Mot latin invariable.

SAVOIR (*vous n'êtes pas sans*) (Voc.). Voir **IGNORER**.

SAVOIR JUSQU'OÙ ON PEUT ALLER TROP LOIN. (Gram.). Voir **JUSQU'OÙ**.

SCANNING. Voir équivalent **BALAYAGE** (Informatique).

SCHEEL *Walter*. Homme politique allemand. Se prononce *Chéél valteur*.

SCHUSS. (Voc.). Terme allemand, d'usage récent (pron. *chouss*). Mot à mot: « Coup de feu ». Au figuré: Rapide (comme une balle). En ski: *Descente très rapide suivant la ligne de plus grande pente*. Ce mot est aussi employé, abusivement, comme adverbe: « descendre schuss ». Finalement il désigne *la dernière pente de l'arrivée*: *Le schuss d'arrivée*.

SCOOP. (Voc. spéc. journalisme). Équivalent: *Exclusif, exclusivité*. (n.f.): *Information très importante donnée en exclusivité*.

SCOOTER DES NEIGES. Voir **MOTONEIGE**.

SCORE. (Voc.). Employé depuis un demi-siècle, ce mot fait désormais partie de l'usage et n'est plus réservé à la seule langue sportive (*Score électoral*, par exemple). Cependant le verbe francisé « scorer » ne passe pas. On dira: *Faire un score*.

SCRIPTE. (Voc. télé, cinéma, radio). n.m. ou n.f. *Collaboratrice (ou rarement collaborateur) du réalisateur d'un film ou d'une émission, responsable de la continuité, de la réalisation et de la tenue des documents.* (Angl. « Script », « script-girl »).

SCULPTER. (Pron.). Le *P* ne se prononce pas: *Scul-té.* De même *scul(p)teur* et *scul(p)ture.*

SEATTLE. Port des États-Unis. Se prononce *Si-ateul* (et non « siteul »).

SECOND. (Voc.). On emploie *Deuxième* à la place de « second » lorsqu'il y a plus de deux éléments. On dira donc: *La deuxième chaîne de télévision.*

SECONDE. (Orth.). Abrév.: *s* (sans point) et non ″, réservé pour marquer la mesure des angles.

SECTORIEL. (Voc.). Néol. récent. *Qui concerne un ou plusieurs secteurs donnés.* Ex.: *Une étude sectorielle* (Voir **PONCTUEL, CATÉGORIEL, CIRCONSTANCIEL, CONJONCTUREL**...).

SECURISER. (Voc.). Néol. récent. *Apporter une sécurité, mettre en confiance.* (Dérivé: *Sécurisant*).

SEMBLABLE, SIMILAIRE. (Voc.). Si **semblable** peut se substituer dans beaucoup de cas à **similaire** (*Vendre des marchandises semblables* ou *des marchandises similaires*), l'inverse n'est pas vrai, car **similaire** s'emploie toujours *sans complément.* Ex.: *Cet objet est semblable à celui-ci* (et non: « est similaire à celui-ci »).

SÉOUD, SÉOUDIEN, SÉOUDITE. Formes classiques. À préférer à la graphie anglaise « Saoudien », « Saoudite ». Il n'y a pas si longtemps, on disait en français *Séoud, Séoudite.* Depuis quelques années, on a adopté l'orthographe anglaise (« Saoud » et ses adjectifs), mais sans la prononciation anglaise, la lettre « a » en anglais étant prononcée « é ». La prononciation à la française du « a » anglais est illogique et le retour aux anciennes règles d'orthographe et de prononciation est à recommander.

SERF, CERF. (Pron.). À distinguer: *Un serf*, des serfs (généralement en prononçant l'*F*), mais on dira: *Un cer(f), des cer(f)s* l'animal.

SÉRIOSITÉ. (Voc.). Néol. récent. Dérivé de **Sérieux**: *Tendance à tout prendre au sérieux.*

SERPENT MONÉTAIRE. (Voc.). *Groupe formé par l'association de huit monnaies européennes: mark allemand, florin, franc belge, franc français, couronnes danoise, norvégienne et suédoise, lire.* Par l'intervention des banques centrales, ces monnaies sont pourvues d'une valeur constante les unes par rapport aux autres sous réserve d'une marge de variation limitée (en 1975, 2,25 % de l'écart instantané maximum entre les monnaies de deux ou plusieurs États participant au flottement communautaire concerté). C'est l'aspect *ondulatoire* de cette chaîne de monnaies associées, dont les éléments peuvent osciller les uns par rapport aux autres, qui lui a fait donner le nom de serpent monétaire.

SHOOT. (Voc. football). Équivalent: **Tir**.

SHOPPING CENTER. (Voc.). Voir **CENTRE COMMERCIAL**.

SHOW. (Voc.). Équivalent de **SPECTACLE** (en particulier, de variétés).

SHOW-BUSINESS. (Voc.). Très en vogue dans les milieux de variétés (1976). Équivalent: **INDUSTRIE DU SPECTACLE**. Fam.: « Show-biz ».

SHUNT. (Voc.). Voir l'équivalent **FONDU**.

SI. (Gram.). La condition ou l'hypothèse introduites par **si** ne s'expriment jamais par le futur ou par le conditionnel. On dira:
Si on ADOPTE *la réforme, elle* ENTRERA *immédiatement en application* (et non pas « si on adoptera »).
Si demain la situation A EMPIRÉ, *nous* REPARLERONS *de sa responsabilité.*
Si on vous le DEMANDAIT, *vous* PRÉSENTERIEZ-*vous*?
*Si les Français l'*AVAIENT *voulu, il* SERAIT *Président de la République.*

SI... QUE. (Gram.). À distinguer de « Aussi... que ». Voir **AUSSI... QUE.**

SIGNER. À ne pas confondre avec **PARAPHER.** Voir ce mot.

SIMILAIRE. Voir **SEMBLABLE.**

SINAÏ. (Pron.). *Si-na-ï* (et non « sinaille », pron. hébraïque). En français, le tréma indique qu'il convient de détacher la voyelle sur laquelle il est placé (de même *Isa-ïe*).

SINISTROSE. (Voc.). Genre de névrose fréquent chez les accidentés (le plus souvent, du travail) qui restent fixés sur leur accident. Terme parfois employé au sens de « Morosité amère... ».

SIX. (Pron.). Mêmes règles que pour **DIX.** Voir Annexe **PRON. DES ADJ. NUMÉRAUX.**

SKIPPER. (Voc.). Équivalents:
1. *Capitaine* d'un yacht (de course-croisière).
2. *Barreur* d'un yacht (de régate à voile).

Les mots *capitaine* et *barreur* se suffisent à eux-mêmes.

SLALOM. (Voc.). n.m. *Descente à ski avec passage obligatoire entre plusieurs paires de piquets.* Dérivés: *Slalomer* (verbe), *slalomeur, -euse* (skieur qui pratique le slalom).

SOCIALISME. (Pron.). *So-cia-lism* (et non « so-cia-liZm », par mollesse).

SOFTWARE. (Voc.). Voir **LOGICIEL**.

SOI-DISANT. (Voc.). Adj. inv. (et non « soiT-disant »). *Qui dit ou qui se prétend être*. Ex.: *Une soi-disant comtesse*. Emplois critiqués au sens de « prétendu » — qui n'est pas ce qu'il semble être — et lorsque « soi-disant » est appliqué à des choses: « la soi-disant liberté » (pour *prétendue*).

SOI-DISANT QUE. Ex.: « *Soi-disant* qu'il n'est pas allé à son travail ». Expression très familière. À éviter.

SOINS À DOMICILE. (Voc.). Équivalent recommandé de **HOME CARE** (J.O. 16.2.75).

SOIXANTE-DIX-NEUF. (Orth.). Tiret obligatoire pour unir les chiffres dont le total est inférieur à cent (mais *Cinq cent soixante-dix-neuf*).

SOLDE (*un et une*). Au masculin, solde désigne *Ce qui reste à payer sur un compte* et souvent, au pluriel, *des marchandises vendues au rabais* (parfois employé, à tort, au féminin). Au féminin, c'est *la paie d'un militaire*.

SOLO (SPECTACLE). (Voc. télévision, cinéma, radio). n.m. Équivalent recommandé de **ONE MAN SHOW** (J.O. 18.01.73), apparemment sans succès jusqu'à ce jour.

SOLUTIONNER. (Voc.). Préférer **Résoudre**.

SOMMET. (Voc. + Pron.). **Au sommet**: Avec les chefs d'État. Ex.: *Une conférence au sommet* ou *un sommet*. À éviter au sens courant de « rencontre ». De plus, on ne prononce pas les consonnes séparément. On dira donc: *So-met* (et non « som-met »).

SOMPTUAIRE. (Voc.). D'usage restreint, se dit des lois ou des règlements qui fixent certaines dépenses. Ex.: *Loi, taxe somptuaire*. À ne pas employer à la place de **SOMPTUEUX**.

SOMPTUEUX (Voc.). Qui nécessite de grandes dépenses, d'où *superbe, splendide.* Ex.: *Une somptueuse villa.*

SOPHISTIQUÉ. Employé dans le sens de *Perfectionné, élaboré,* « Sophistiqué » est un anglicisme à éviter. Jusqu'à présent, « sophistiqué » avait le sens d'*artificiel, peu naturel.*

SOPRANO. Mot italien intégré au vocabulaire courant, avec un pluriel français: *Des sopranos.* Voir **CONCERTO.**

SOUHAITER QUE (Gram.) + **subjonctif.** Ex.: *Je souhaite qu'elle vienne.*

SOURCIL. (*L* muet): *Sour-ci.*

SE SOUVENIR. (Gram.). Se souvenir de quelque chose. *Elle se souvient de sa jeunesse.* Ne pas confondre avec: *Se rappeler sa jeunesse.*

SOYONS. (Orth.). (Subj. présent d'**Être**). Jamais d'« i » après *Y*, de même *Soyez* et *ayons, ayez* (subj. présent d'**Avoir**).

SPOT. (Voc.). Voir l'équivalent **MESSAGE** (*publicitaire*).

SPRAY. Équivalents: *Aérosol, pulvérisation.* Termes recommandés (J.O. 16.2.75).

STAGFLATION. Néol. récent, formé de *stagnation* et d'*inflation*: *Situation d'un pays qui souffre d'inflation sans connaître de développement économique.*

STAGIAIRISATION. Barbarisme employé parfois à la place de *stage.* À éviter.

STAGNATION. (Pron.). *StaG-na-tion* (G dur).

STARTER. Voir équivalent **DÉMARREUR**.

STARTING-BLOCK. Équivalent recommandé: *Bloc-départ* (Sport).

STATIONNER. Verbe intransitif. On ne peut donc pas dire « Stationner une voiture », mais on dira: *Les voitures stationnent* (le part. passé « une voiture mal stationnée » est critiqué, le verbe étant intransitif).

STEWARD. (Pron.). *Stiou-ard* (et non « sti-ouard »).

STIMULATEUR (n.m.). *Appareil interne ou externe, cardiaque ou non*. Équivalent de **PACE-MAKER**. Voir ce mot.

STIPULER. « La loi stipule que... » est une expression impropre. Le mot stipulation suppose en effet un contrat entre deux ou plusieurs parties. (*Il est stipulé entre les époux que...*). On dira: *La loi dispose, la loi établit que...*

STRESS. Terme anglais signifiant: *Effort intense, tension*. Proposé en 1936 par un médecin canadien pour désigner l'effet que produit sur l'organisme toute action physiologique ou pathologique: « choc infectieux ou chirurgical, décharge électrique, bruit intense, fatigue excessive, émotion violente, choc nerveux, traumatisme psychique ». Ce terme est fortement déconseillé dans le vocabulaire courant, car il comporte en français 21 acceptions différentes: « Agression, attaque, excitation, dépression, etc... ».

STUPÉFAIT, STUPÉFIÉ. **Stupéfait** est un adjectif et non le participe passé du verbe « stupéfaire » qui n'existe pas! On dira: *Je suis resté stupéfait*, ou *il m'a stupéfié* (et non « il m'a stupéfait »).

STUPÉFIANT. N. m. Équivalent de l'angl. **NARCOTIC**.

SUBJONCTIF (*imparfait*). Ne pas oublier l'accent circonflexe à la 3ᵉ pers. du sing.: *Qu'il chantât*.

SUCCÉDER (*se*). (Gram.). Le participe passé ne s'accorde jamais, ce verbe étant intransitif. Ex.: *Ils se sont succédÉ.*

SUCCESSIF. Voir **CONSÉCUTIF**.

SUGGESTION, SUJÉTION. **Suggestion** se prononce *sug-jes-tion* et signifie: *Faire naître une idée dans l'esprit d'autrui.*

À ne pas confondre avec **Sujétion** qui se prononce *su-jéssion* et qui signifie: Assujettissement.

SUITE. LA *suite d'une affaire*, LES *suites d'une affaire (d'un procès, d'une maladie)*. **Suite** ici n'a pas le même sens au pluriel qu'au singulier. *Veiller à la suite d'une affaire*: c'est suivre son bon déroulement. *Examiner les suites d'une affaire*: c'est (l'affaire étant terminée) en examiner les conséquences ou les prolongements.

SUITE (*de*), (*tout de*) **SUITE** sont souvent confondus. **De suite** signifie *Sans interruption, l'un après l'autre*: *Il a plu trois jours de suite.*

Tout de suite signifie *immédiatement, sur le champ*: *Elle va revenir tout de suite* (et non « de suite »).

SUIVI. (Voc. administratif). Néol. n.m. Terme apparu dans des textes administratifs ou relatifs à des questions budgétaires (*le suivi budgétaire*).

Assurer le suivi d'une affaire, c'est suivre le processus d'accomplissement des diverses opérations requises; appliquer son attention au déroulement normal de ces opérations et à l'enchaînement des effets qu'elles doivent susciter. Pourquoi ne pas dire simplement: *Suivre l'exécution d'une affaire ou du budget*?

SUJÉTION (Voc. + Pron.). Voir **SUGGESTION**.

SUPPLÉER. (Voc.). **Suppléer + complément d'objet direct** signifie: *Mettre à la place de, remplacer.* Ex.: *Suppléer un professeur.*

Suppléer à: *remédier à.* Ex.: *Suppléer à une lacune.* (Ne jamais dire « Suppléer à quelqu'un »).

SUPPORTER, SUPPORTEUR. (Voc.). Angl. « Supporter » a été francisé en *supporteur*, mais le verbe **Supporter** n'existe pas dans ce sens. On ne peut pas dire « Supporter une équipe ». On dira : *Encourager, soutenir.*

SURBOOKING. Voir **SURRÉSERVATION**.

SURIMPRESSION. (Voc.). Voir (*enregistrement*) **FRACTIONNÉ**.

SURJEU. (Voc. télévision, théâtre). Pour le « grand public », synonyme de « Pré-sonorisation » ou « Pré-sono ». (Angl. « Play-back »). Peu usité.

SURPLUS. *S* muet : *Sur-plu.*

SURRÉSERVATION. (n.f.). Équivalent de **SURBOOKING**. *C'est l'action de réserver des places en nombre plus important que celui des places offertes, en prévision de défaillances éventuelles* (Arrêté du Ministère des Transports, 12 janvier 1973).

SUSCEPTIBLE. (Voc.). Voir **CAPABLE**.

SUSPENSE. (Pron.). *Seus-pennss* (à l'angl.) ou *suspense* simplement à la française (et non « suss-pince).

TANDIS QUE. L'*S* final ne se prononce pas.

TAX FREE SHOP. (Voc.). À éviter. Préférer l'équivalent **BOUTIQUE FRANCHE** (comme on dit *Port franc, zone franche*).

TECHNIQUE. (Adj.). Trois sens principaux :

— Opposé à « commun », « général » : qui appartient à un domaine spécialisé de l'activité ou de la connaissance.

— Opposé à « esthétique »: qui concerne les procédés de travail ou de création.
— Qui concerne les applications de la science et de la connaissance théorique, dans le domaine de la production et de l'économie.

TECHNOLOGIE. n.f. *Étude raisonnée des techniques*, en particulier des techniques industrielles (outils, procédés, méthodes...) ou l'*Ensemble des termes techniques propres aux arts, aux sciences, aux métiers....*

TECHNOLOGIQUE. (Adj. dérivé de technologie). N'est pas un synonyme de « Technique » et serait beaucoup moins employé si l'on prenait garde à son sens exact qui est: *Relatif aux arts, aux métiers, à la technologie.* Ex.: *Dictionnaire technologique.*

TEMPS PARTAGÉ (*travail en*). Voir **PARTAGE DE TEMPS.**

TEMPS RÉEL. (Voc. informatique). *Mode de traitement qui permet l'admission des données à un instant quelconque et l'obtention immédiate des résultats.* (Angl. « Real time »).

TENDRESSE, TENDRETÉ. (Voc.). Un adjectif: *Tendre*: deux substantifs. On dit: *La tendresse maternelle* (sens purement affectif, mais la *tendreté d'une viande* (qualité matérielle).

TERMINAL. (Voc. informatique), n.m. *Organe d'entrée ou de sortie relié à l'ordinateur par une transmission de données quelconque.* Peut être employé adjectivement.

TÊTE-À-TÊTE. Avec un trait d'union.

THRILL. (Voc. médical). Préférer l'équivalent *Frémissement.*

THRILL. n.m. (Angl. « qui effraie »). *Film, livre à suspense, apte à évoquer chez le spectateur ou le lecteur certaines sensations émotives.* Pas d'équivalents en français.

TICKETING. Voir **BILLETTERIE**.

TIME-SHARING. (Voc. informatique). Voir **PARTAGE DE TEMPS**.

TIMING. Voir équivalent **CALENDRIER**.

TOILETTER, TOILETTAGE. Néol. *Soins de beauté pour animaux de luxe*. (On trouve même ces mots appliqués aux automobiles: voc. publicitaire).

TONNE. Abréviation *t* (minuscule, sans point).

TOUJOURS. Ne pas faire la liaison. Ex.: *Il est toujours//aussi actif.* En effet, la liaison est incorrecte, puisque *toujours* se termine par deux consonnes dont la première est un *R* (de même pour: *Vers//elle, nord//ouest, nord//est*. Voir **LIAISON**.

TOUT. Liaison correcte entre **tout** et le mot qu'il modifie: *Tout‿entier*.

TOUT À COUP, TOUT D'UN COUP. (Voc.). Termes à ne pas confondre. **Tout à coup** signifie: *Subitement, soudainement*. Ex.: *Tout à coup elle poussa un cri strident.*
Tout d'un coup signifie: *En une seule fois*. Ex.: *L'immeuble s'effondra tout d'un coup.*

TOUTE ESPÈCE DE. (Gram.). Après la locution **Toute espèce de**, l'accord du verbe se fait au pluriel. Ex.: *Toute espèce de livres ne sont pas également bons*. De même pour *Toute sorte de*.

TRADE-MART. (Voc.). Voir **EXPOMARCHÉ**.

TRADITIONNEL. Voir **CONVENTIONNEL**.

TRAINING. Angl. Préférer l'équivalent *Formation, entraînement*.

TRANSACTIONNEL. Néol. Dérivé de **Transaction**: *Un règlement transactionnel, un arrangement transactionnel.*

TRAIT D'UNION. Voir mots à leur place alphabétique. Pas de règles précises. Sans doute peut-on dire que l'emploi du trait d'union marque — comme son nom l'indique — la cohésion, le rapprochement, alors que l'absence du trait d'union traduit une certaine dualité, voire une opposition. Comparons: *Le* TÊTE-À-TÊTE *des jeunes époux s'est vite transformé en* FACE À FACE *dès lors que l'impulsif jeune mari a préféré* L'EAU-DE-VIE *à* L'EAU DE ROSE *de son ménage.*

TRÉMA. (Pron.). Le tréma indique qu'il convient de détacher la voyelle sur laquelle il est placé. Ex.: *Isa-ïe, le mont Sina-ï, ambigu-ïté.*

TRÈS. Liaison correcte entre *très* et le mot qu'il modifie: *Très‿intéressant.*

TROP DE (+ *pluriel*). L'accord se fait au pluriel. Ex.: *Trop de gens sont au courant maintenant.*

TROUPE, TROUPEAU *de* (+ *pluriel*). L'accord se fait aussi bien au sing., si l'on veut insister sur la notion d'ensemble qu'au pluriel, si l'on veut insister sur les éléments qui composent l'ensemble. Mais on dira: *Un immense troupeau de bœufs a dévasté la plaine*, puisque l'épithète qui précède le nom collectif indique que l'on insiste sur la notion d'ensemble.

UBIQUITÉ. *Faculté d'être présent en plusieurs lieux à la fois.* Se prononce *U-bi-kui-té.*

UN. On ne fait pas la liaison devant **un** numéral (de même pour *huit* et *onze*). La liaison est correcte devant **un** article. Ex.: *Il est//une heure, //huit heures, //onze heures*, mais *C'est un‿enfant.*

URUGUAY. Mot phonétiquement francisé, se prononce *U-ru-guè* ou *gouè* (et non « u-ru-gouaille »). *Idem* **PARAGUAY**.

USURAIRE. (Adj.). On dit *Des taux usuraires* et non « des taux usuriers », car *usurier* est un substantif. *Idem* **PÉCUNIAIRE** (« pécunier ») et **PÉNITENTIAIRE** (« pénitencier »).

VACILLER. Se prononce *Va-ci-yé.* Mais on dit: *Vacillation.*

VARIA. (Voc. journalisme). n.m. *Article ou reportage sur des sujets variés, souvent anecdotiques.* (Équivalent de l'anglais « Features ».) Commission de terminologie de l'O.R.T.F.

VERBE + compl. (liaison). La liaison est facultative entre le verbe et son complément: *Ils marchent//en mesure* ou *ils marchent‿en mesure.* Mais elle est abusive et affectée (hypercorrection) entre un infinitif et son complément. On dira donc: *Aller//à Rome, céder//à la panique...*

VERDICT. Prononciations admises: *Ver-dik* et *ver-dikt* (mais jamais « ver-di »).

VERS (*liaison*). La liaison ne doit pas être faite parce que **vers** se termine par deux consonnes dont la première est un *R*. On dira donc: *Il court vers//elle* (de même toujours *nord//est, nord//ouest...*).

VICE VERSA. Pas de trait d'union. La voyelle *e* s'écrit sans accent, mais se prononce comme si elle comportait un accent aigu: *VissÉ versa* de même que *de jure, de visu.* **(MOTS LATINS)**.

VINGT. (Pluriel de). Voir **CENT**.

VISUALISER. (Dérivé de **VISUEL**, Informatique). *Inscrire les résultats d'un traitement sur un visuel.* (Syn. *Afficher*).

VISUEL ou **CONSOLE DE VISUALISATION**. (Voc. de l'informatique). n.m. Dispositif d'affichage ou d'inscription sur un écran ou sur une console à tube cathodique. Désigne aussi cet *écran* ou cette *console*. (Angl. « Display »).

VOICI, VOILÀ. **Voilà** désigne ce qui précède, alors que **Voici** désigne ce qui suit. Voir **CECI, CELA**.

VOLCANOLOGIE, VOLCANOLOGUE. Ce terme, formé sur *volcan*, a été préféré au début du siècle à « vulcanologie » décalqué de l'anglais « Vulcanology ».

VOLT. Abréviation V (majuscule, car il s'agit à l'origine d'un nom de personne). Sans point.

WALDHEIM (*Kurt*). Homme politique autrichien (O.N.U.). Le W allemand se prononçant V, on dira: *Vald-haïm (Kourtt)*.

WALTER (Prénom germanique). Se prononce *Val-teur*. Mais le prénom anglais se prononce *Oual-teur*.

WEEK-END. Se prononce *Ouik-ennd* (et non « ouik-ind » ou « ouik-enn » par mollesse). Un emprunt de bon aloi.

WATT. Abréviation W (majuscule, car il s'agit à l'origine d'un nom de personne). Sans point. Ex.: *kWh (kilowatt heure)*.

Y (où). Voir **OÙ**.

YACHTING. Équivalents:
— *Navigation* (à voile ou à moteur).
— *Voile* (en compétition).

ZONE. S'écrit sans accent circonflexe, mais se prononce comme *Dôme* (o fermé).

ZOOM. À conserver dans sa pron. anglaise: *zoum*. Mais dans certains milieux de l'audiovisuel, on a créé le néologisme: « zoumer ».

ANNEXE

Prononciation

A. E FERMÉ, E OUVERT, E MUET

De plus en plus, les sons E, É, È sont confondus.

— *E*: Forte tendance à mettre un accent aigu sur le son *E*. On dit à tort: « R*é*hausser » (pour *rehausser*), « enr*é*gistrer » (pour *enregistrer*) « r*é*constituer » (pour *reconstituer*), « en d*é*hors » (*en dehors*).

À l'inverse, certains disent: « R*E*bellion » (au lieu de *rébellion*; mais on doit dire *rebelle*), « r*E*pression » (*répression*).

— *E FERMÉ*: Dans certains milieux parisiens le son é, qui devrait être fermé, devient è: Ex., « Je peux vous l'assur*è* » (pour *assurer*), « degr*è* de température » (pour *degré*).

— *E OUVERT*: À l'inverse, une tendance d'origine régionale, sans doute, est celle qui ferme le è (en é) alors qu'il devrait être ouvert. Ex.: « M*é* l*é* Franc*é* » (pour *mais les Français*), « la r*é*son » (*la raison*).

— *E MUET*: Tendance à articuler par hypercorrection des syllabes qui, dans la conversation courante, perdent leur voyelle *E*. Ex.: « Enseignement » qui, depuis qu'il existe, se prononce *enseign'ment*, mais qu'on entend, de plus en plus sur les antennes, allongé d'une syllabe « enseign*e*ment ». Il en est de même pour « Renseign*e*ment », « app*e*ler », « dev*e*nir », « évén*e*ment », « maint*e*nant » « rev*e*nir » qui se trouvent ainsi rallongés phonétiquement d'une syllabe, apparemment sans raison.

À noter qu'un *E* précédé d'un groupe de consonnes se prononce toujours. On doit dire *départEment* et non « départ'ment » ou *M. MitTErrand, homme politique.*

Quand des monosyllabes à voyelles *E* se suivent, on prononce cette voyelle une fois sur deux. « Je ne te le dirai pas » devient en langage parlé : *je n'te l'dirai pas.*

B. MOLLESSE

On constate de plus en plus une certaine mollesse dans l'articulation. Cet amollissement aboutit à un relâchement dans l'expression.

1. On a tendance à *ajouter des « E » muets inutiles* : « Lor*sse*que » (*lorsque*), « Ar*ke* » de Triomphe (*Arc de Triomphe*), « avec*ke* » (*avec*), « en direct*e* de » (*direct de*).

2. Dans les noms se terminant par *STION*, le groupe *ST* s'affaiblit en *SS* : *Question* devient « quession », *ges-tion* « gession », *sug-gestion* « sujession » (comme sujétion »). À tort.

3. Pour certains, *l'S s'amollit en « Z »*, dans les noms se terminant par *ISME* : « IdéaliZme » pour *idéalisme*, « socialiZme » pour *socialisme*, « paroxyZme » pour *paroxysme*. De même *désuet* devient « déZuet », *persistance* « perZistance », *enthousiasme* « enthouZiasme ». Les *X* (iks) sont adoucis : « E*ss*pédition » pour *expédition*, « e*ss*ploit » pour *exploit*, « esscuse » pour *excuse*.

Remarque : Il faut noter que le *G* du groupe *GN* se prononce dur (comme celui de *magma* ou de *pragmatique*) dans : *MaGnat, maGnum, aGnostique, iGné, inexpuGnable, staGnation, puGnacité* et *puGnace*. En revanche, le *G* se mouille dans : *Magnolia, magnificence.*

C. LA LIAISON

La liaison en français est un problème complexe. Tantôt obligatoire, tantôt interdite, elle est parfois simplement facultative. Son emploi (ou son omission suivant les cas), dénote une langue affectée, soignée, courante ou familière.

1. *LA LIAISON EST CORRECTE, PARCE QUE NATURELLE*, dans les groupes de mots unis par la grammaire, et donc par le sens, c.-à-d. entre:

— L'article ou l'adjectif et le nom: Ex.: *Un enfant, un petit enfant.*

— Le pronom et le verbe: *Ils ont,*

— Le verbe *Être* et l'attribut (surtout à la 3e pers.): *Ces tableaux sont abstraits, la guerre est imminente,*

— L'auxiliaire et le participe: *Ils ont accueilli,*

— Des mots invariables monosyllabiques *(plus, très, tout, fort, dans, en, sans...)* et le mot qu'ils modifient: *très intéressant, tout entier, sans éclat,*

— La liaison marque généralement le pluriel: *Un pays//arabe*, mais *des pays arabes.*

2. *LA LIAISON EST FACULTATIVE*

a) Entre le nom et son complément: *Dos//à dos* ou *dos à dos, d'un bout//à l'autre* ou *d'un bout à l'autre*, mais *abusive* par hypercorrection: « Des maisons Z'en pierre », « des bateaux Z'à voile » (au lieu de *bateaux//à voile*). Par exception la liaison est admise dans certaines locutions stéréotypées: *Un pied à terre* (mais *mettre un pied//à terre*), *un pot au feu* (mais *mettre le pot//au feu*) ...

b) Entre le verbe et son complément: *Ils marchent//en mesure*, ou *ils marchent͡ en mesure...*, mais *abusive* par hypercorrection entre un infinitif et son complément: « Voter R'avec conscience » (au lieu de *voter//avec conscience*), « aller R'à Rome » (au lieu de *aller//à Rome*)...

3. *LA LIAISON EST INCORRECTE*

— Après la conjonction *et*: *Une fille et//un garçon* (mais on dira: *cette fille est͡ un garçon manqué*),
— Après un nom singulier terminé par une consonne muette: *Un lou(p)//affamé, un galo(p)//effréné, un cou(p)//inattendu, Orien(t)// express, salu(t)//à tous,*
— Devant *oui* et *onze*: *Les//ouï-dire, les//onze joueurs.*
— Devant les *h* dits *aspirés*: *Un//handicapé, des//haricots, des//harengs, des//homards...*
— Quand le premier mot se termine au sing. par deux consonnes dont la 1re est un *R*: *Ver(s)//elle, toujour(s)//actif, nor(d)//est, nor(d)//ouest, Nor(d)//Express.*
— Après les formes verbales au sing. qui se terminent par *RD*, *RS*, *RT*: *Il mor(d)//à l'hameçon, tu cour(s)//après elle, il cour(t)//après elle.*

D. PRONONCIATION DES ADJECTIFS NUMÉRAUX

En principe, *dans le langage soigné*, la règle est simple: il convient de dire: *Le tournoi des cin(q) Nations*, car la consonne finale des nombres *cinq*, *six*, *huit*, *dix* ne se prononce pas quand le mot qui suit commence par une consonne (ou un *H* aspiré). Ex.: *Une cin(q) chevaux, les hui(t) jours.*

En fait *dans le langage courant*, on dit souvent « Une cin*K* chevaux », « cin*K* mille francs », comme pour mieux souligner le chiffre, car l'usage tend à aligner la prononciation de *cinq*, *six*, etc., sur celle de *sept* et de *neuf* dont les consonnes finales se prononcent dans tous les cas.

Il faut noter que lorsque ces chiffres sont employés seuls, la consonne finale est toujours prononcée. Ex.: *J'en veux cin*K, *si*ss, *hui*TT, *di*ss.

Remarque: Quand il s'agit de dates, faut-il dire, selon la règle ci-dessus, « le cin(q) septembre, le si(x) février, le di(x) novembre »? Certains auteurs parlent dans ce cas d'hypercorrection et recommandent la prononciation de la consonne finale devant un mot commençant par une consonne. Il convient de dire: *Le cin*K *septembre, le si*ss *février*, car il s'agit du *sixième jour de février*.

En fait, bien que cette prononciation existe encore, l'usage ici aussi tend à imposer sa loi et on entend dire fréquemment: « Le cin(q) septembre, le si(x) février, le hui(t) mai, le hui(t) novembre 1942 ».